NO LONGER POETRY

new romanian poetry

EDITED BY DAVID MORLEY AND LEONARD-DANIEL ALDEA

The Heaventree Press

NO LONGER POETRY
edited and translated by David Morley and Leonard-Daniel Aldea

Selection, translation and introduction © 2007
David Morley, Leonard-Daniel Aldea

ISBN 978-0-954881-15-3

Cover design by Dragos Rosca
Heaventree logo design by Panna Chauhan

First published in 2007 by
The Heaventree Press,
Koco Building, The Arches,
Spon End, Coventry, CV1 3JQ
www.heaventreepress.com

Printed in the UK by
Cromwell Press, Trowbridge, BA14 0XB

We are grateful for the financial support of

THIS BOOK IS DEDICATED TO

MARIN MINCU AND OCTAVIAN SOVIANY

FOR THEIR SUPPORT OF THE NEW POETS

s-a terminat cu poezia: noua poezie românească

ORDER AND LANGUAGE

When poems from several collections by the same author have been selected, we have kept the chronological order of their publication. When several poems from the same collection have been translated and presented, the order of the poems within an individual volume has been maintained.

For the Romanian texts, we have respected the authors' individual choices in terms of their orthography, and kept the system they use in their original writing. English readers will, we hope, adapt to the almost wholesale use of the lower-case not only in many of these poems, but also in titles, names, place names and brand names. This reflects not only the spirit but also the practice of the original.

The Editors

CONTENTS

Two sparrows pull each other's eyes out
a cleaning lady stands with
her head in the toilet, straight like a
candle — somebody grasps her ankles
and pumps

This is not poetry If that's what you want
go to the cinema
In a poem Ianus goes to the park and
feeds the doves

Poetry
Marius Ianus

This is the first anthology of Romanian poetry to give a platform to a rising generation of unique, new poets of the post-Communism era. Most of the poets are under thirty, and had their first collection published around the turn of the Millennium. The poems selected and translated here are taken from these books. In some cases, we have chosen fresh, unpublished work intended for their next volume. This is a unique display of the new Romanian literature; it is a vivid document of an ongoing phenomenon of *re*-creation.

Romania has undergone extreme transformation over recent years. The December 1989 Revolution failed to act as the instant switch between Communism and Democracy in the way that most of the population expected. Instead, Romanians found themselves in a grey zone, one where attributes of the free world competed with, and attempted to complete, the outline of what was really a ghost of an economy and country. Everybody expected large change, but the shift proved to be more difficult, much slower, than anybody foresaw. Frustration spread like a virus.

Yet, in poetry, the change was sharper: conditions for distribution and reception changed utterly. Once upon an era, a State-sponsored 'official poet' was ensured the distribution of hundreds of thousands of copies of their latest offering (although this might not have translated into "hundreds of thousands" of readers). In less than a year such manipulative systems folded. But there was another type of poetry: an interstitial poetry of true expression: unsponsored, popular, risky. But the immediate reaction that *this* poetry used to have on its huge public during Communism also vanished. Freedom of speech and the media removed the need for a poetic interpretation of Romania's reality. Television and video, cinema and music, captured the public's attention with a facility which daunted the nostalgics.

Suddenly, poets found themselves useless, unimportant, their lines unnecessary. What need for poetry when the political truth — in all its facets, versions and revisions — was printed daily, broadcast on the hour, accessible on broadband? Worse still, poetry was perceived as a product of the old world rather than an integrated, living, breathing art of (or *for*) a new era. The Romanian reader turned its back on its former anti-State ally. The Golden Age was done for. Poets such as Marin Sorescu and Nina Cassian had already begun to play better in the West with its as yet untrammelled interest in what Daniel Weissbort famously synthesised as the poetry of survival, a poetry composed by post-war Central and East European writers who, as Ted Hughes claimed at the time, 'must be reckoned among the purest and most wide awake of living poets'.

Poets in a re-invented Romania had to choose between either going down with the rest of the world they once fought against, or making a serious change to what was regarded as poetry, and to the rôle of poetry. Golden Era nostalgia, the total autism of any post-revolutionary literary activity, and the lack of a public, acted as a block, a creative barrier. The first post-communism decade saw the professional reorientation of the most adaptable writers towards newspapers and magazines. The most limber of these poets (those who had begun their careers only a few years before the revolution) chose entertainment as the next step, editing adult publications as well as commercial magazines. As with any art form finding itself in a dark tunnel heading sluggishly towards a white light, poetry had to re-create itself, almost to re-name itself. It was no longer poetry; it became what has been called the poetry *after* poetry.

The poets selected for the present anthology reflect the core of the first post-Communism generation of writers. Literary critic Marin Mincu, the most influential supporter of these authors, justifies their appearance through the natural, undeniable change that's taken place in the sensibility and receptivity of the Romanian public, a change that was bound to be followed by a simultaneous transfiguration of the writing process. With no one 'watching' them and without any feeling of regret, or of nostalgia for a period they had not experienced, these poets felt free to exhibit and push their poetic experiments forward. The classic Trojan Horse trick for the survival of poets: their near-invisibility heightened by the protective, yet challenging, shield of an exclusive, and excluding, literary world.

This new Romanian poetry started to take shape from the mid-1990s, with the first collections of Dumitru Crudu, Mihai Vakulovski and Stefan Bastovoi, three young Moldavian poets. We found it appropriate to open this anthology with Dumitru Crudu's poems, and then follow through with the Romanian poets. The pattern follows the chronological order of these authors' published work, beginning with the 1994 collections of Dumitru Crudu and then going into the 'Generation 2000' poets, most of whose first collections circle the Millennium.

A further word on patterns. We have structured this anthology into four sections, using the two criteria of the literary circles of which these poets have been part, and the date of their debut. So, the book opens with Dumitru Crudu and Adela Greceanu, both of them published authors before the year 2000, and not being part of either of the two main literary circles in Bucharest. The following two sections are dedicated to the 'Letters 2000' literary circle — Marius Ianus, Elena Vlădăreanu and Ruxandra Novac — and then the Caragiale Creative Workshop — adrian urmanov, Andrei Peniuc and Ovia Herbert. This also accords with the order with which these literary circles went public. The book closes with three writers who have either been part of both of these literary circles — Răzvan Ţupa — or haven't been a constant presence, or not present at all, in either of the circles — Zvera Ion and Dan Sociu.

The Literature Department Literary Circle of the Bucharest University ('Letters 2000') was the crucible for what was already known as the 'fracturist' wing of the new literature. All their efforts were concentrated on making themselves as visible as possible to the public, literally *forcing* their writings on to the poetry market. Un Cristian pressed forward to edit and manage the *Carmen* underground series of their collections, published exclusively through sponsorship, and then distributed for free within student communities.

As part of the Letters 2000 literary circle, Un Cristian also initiated several public-orientated projects, like the first recorded poetry collections in Romania. Most striking was the 2001 Public Poetry

Library, meant to bring randomly chosen people from the street face to face with the young poets and their writings. Marius Ianus, Dumitru Crudu, Răzvan Ţupa, Elena Vlădăreanu, Ruxandra Novac and even most of the non-fracturist young poets, such as Andrei Peniuc, Zvera Ion, Ovia Herbert or adrian urmanov, gave several public readings at these weekly meetings in the Bucharest University building. The 'fracturist' literary circle, their projects and the scandals that followed in the wake of most of its members, worked as an extraordinary advertising engine for the new writers and their poetry.

Simultaneously in 1998, the poet Nina Vasile started the first Creative Writing Workshop in Romania, in the IC Caragiale Public Library in Bucharest, seconded by the poet adrian urmanov. The strategy was cunning, succeeding by negation: it was *not* to get involved with the literary world for a whole three years. Moreover, the Caragiale Workshop encouraged young people *without* an academic literary background to start writing. Nina Vasile herself is a philosopher, adrian urmanov an economist, Andrei Peniuc a lawyer, Răzvan Ţupa (who joined the Workshop soon after it started) is a Religion historian, while Ovia Herbert studies Public Relations. At the time the 'Workshop' began, only Nina Vasile was a published author and she was, literally, the only seriously committed writer. Negation has its own momentum; rapid "progress" ensued.

For example, over a period from 1998 until 2001, these young authors never made one single public appearance as a group. Instead, they met weekly in the Caragiale Public Library and focused on the *authenticity* of their own writing process, principally on the writing techniques to be used in their search to identify the most intimately correct 'translation' of each element used in their poems. The work of the mature generation, as well as the experiments of the 'fracturist' movement, were carefully dissected and examined. The 'Workshoppers' (as they gradually got to be tagged) were just as interested in literature as they were in mathematics, economics, legal systems or anatomy, and the possible uses of these sciences and social sciences in their writing. The private approach to any feeling or object, the unique personal perspective/reaction to each thing, was looked for not only by the means of poetry, but also by painting, dancing or performing.

In 2002, The Romanian Writers' Union, working with one of the major Romanian newspapers, *The Day*, co-founded the 'Euridice Literary Circle'. This deliberately replaced the old Writers' Union literary circle. 'Euridice' also brought together the two literary circles, 'Letters 2000' and

'Workshop', both of which ceased as separate cultural entities. Under the leadership of the same Marin Mincu, their weekly meetings focused on, analysed and promoted the works of its young writers. The promotional forum was a special supplement of newspaper *The Day*: *The Literary Day* was born.

In 2003, the generation issue captured the whole attention of the Romanian literary marketplace. Significant literary magazines, such as *The Literary Day* or *Luceafarul* strongly argued for and against the 'legality' of these young authors, while other magazines — like *The Hearth*, *The Paradigm* and *Romanian Life* — dedicated entire issues to them and their writing. However, in 2004, 'Euridice' had to be removed from the Writers' Union building following a series of scandals related to the 'immoral and infamous nature' of their young writers. *The Literary Day*, surprisingly, also decided to abandon their support. At present Marin Mincu and his literary circle are meeting in the Romanian Literature Museum building, and all the sessions are now dedicated exclusively to young writers.

The most obvious characteristic of these young poets is their extreme heterogeneity, the lack of any obvious group similarities, in spite of their gathering around several literary circles and their various philosophies. 'Fracturism' and 'utilitarianism' are going to be discussed further. But, in spite of structuring this anthology around literary movements, it must be understood that these patterns are only functional and pragmatic: they help to display these young authors' different approaches and differing poetics; we take little account of the influence they had on their actual writing. For example, there are no obvious literary connections between the warm atrocities of Elena Vlădăreanu, the language masteries of Marius Ianus and the marketing experiments of adrian urmanov.

Instead, what unites these writers as a generation and puts them into perspective is the acute interest they show in winning back the public's attention: the definite choice they seem to have made of bending and reinventing everything that 'poetry' is about in order to achieve this goal. Reality has been mixed with what the reader expects reality to be; poetry has been mixed with what the reader understands poetry to be, so that their writing is no longer a literary piece of art, but rather a new product, a cross between what is commercially appealing and what is authentic literature. What differentiates between them, though, is the way each of them sets out to achieve this daring balance through their own work, a private choice they've made in proportioning these ingredients in their poetry:

> When you retype/edit my texts,
> please start each line with a capital letter, even
> if your capital letters do not match my capital
> letters, even without paying attention to the
> latter. This way, each text will expect to be
> retyped a certain number of times, which it
> holds within itself, in its essence. It will
> always be another (something else). Each text
> is a little monster. The number of ways it can
> be written probably stands for the age it will
> die at.

> *The title of my collection, which preoccupies me so much*
> Adela Greceanu

Marius Ianus, the author of the poem used in the epigraph to this Introduction, published the "Fracturist Manifesto" in 1998. This is the key creed that unites the young poets gathered around the 'Letters 2000' literary circle: that *authenticity is instantly appealing to the reader* and, therefore, the more authentic one is, the more the poem interests the public. This is an aspiration only: what they aim to do is to create an instant psychological attraction, inverting common perceptions of things, and breaking not only the line but also the subject in the most psychologically fertile manner. These intentional "fractures" in the expected, familiar way the reader anticipates a feeling or situation to develop naturally creates a tension within the lines that can very easily make the readers feel uncomfortable and drive them away.

To prevent this, the 'fracturists' balance their poems by constantly alternating between violent, disturbing lines and extreme intimacies. It's a studied form of interplay: the "hooking" of the reader, making him feel reassured by showing him the writer's own weaknesses, just immediately after provoking insecurity in the reader himself. The play creates a constant psychological war between the reader and the writer, reflected both in the 'fracturists'' choice of subjects (mostly social and political issues mixed with sexuality and violence), and the technical devices they apply within their writing. It is interesting to note that all of these poets are graduates of the literature departments of different Universities in Romania, unlike the 'Workshoppers' who have no formal literary academic training. This is obvious in the 'fracturists'' understanding of poetry mostly as a literary art form, and the stress they place on the literary value of the written poem itself.

This is in contrast to the writings of the 'utilitarian' wing of young Romanian poetry, emerging mostly from the Caragiale Workshop. For them, the poem is not primary; what is primary is the effect on the reader. Their authors are even more difficult to categorise as parts of the same movement on the basis of their actual written works, but they are linked by their emphasis on the importance of the *efficiency* of a text, rather than its authenticity and its traditional literary value. The 'utilitarians' have altered the balance which the 'fracturists' struggled to achieve; and made it clear that their interest is not so much in the actual writing, but on its ability to carry the message through: to have a visible effect on the reader. Rather than a natural transition from previous promotions of Romanian writers, they've created a strange, alien poetry generated mostly from marketing and mass-communication and/or science:

> i put all my trust in the word that will come out of here
> the word that's in here
> well hidden
> this is not a poem this is not a text
> these are real words / words embrace a skeleton
> rays embrace a white skeleton
> that word that will slap your face
> that skeleton that spirals into your chest
> like the bite of a beast
> that word that will sicken you for all your time
> and will bring you next to me your flaws near my flaws
> and we'll be together
> alone as death: luminous skeletons in front of love

> *improvisation* from *poetical improvisations*
> *(club "a" and club "le nnoir", bucharest)*
> adrian urmanov

The 'utilitarians' have transfigured their literature into poetical advertisements of the message carried within; and by adapting their writing to the preconceptions of the public. They do so by the purposeful application of non-literary devices in their poems, which are designed to function as "glue-spaces": in short to manipulate the reader into working through an entire collection. They no longer see poetry as a purely literary work of art, but mostly as a special, artistic type of communication. Therefore, the actual value of the poem is not to be found in the literary proficiency of inscribing the message in the written text, but rather in the efficiency the text has to communicate the message and the intensity with which the reader receives it.

Western traditionalists may find this approach strange; cultural Darwinists will read it for what the strategy actually is. It is a mode for poetry's survival, its meme, in a particularly drastic environment, one in which the ecosystem was, for so long (too long), so very fertile and verdant, but which has received the cultural equivalent (within the space of a decade) of an intensive volcanic explosion, quickly followed by an ice-age. A different understanding of poetry was certain to lead to different approaches to the text and so, different poetic techniques evolving within the text.

From their inception, 'Letters 2000' tried to freshen up poetry's vocabulary and fought for total freedom about *what* to write about. This follows on from their search for the authentic, for facts taken out from actual life. If the poet is having sex, then this is a verse, and if the poet is typing down this verse, then this in itself is another verse. This technique, when used wisely and with a high level of auto-censorship, can lead to wonderful poetry, as in both **Elena Vlădăreanu**'s collections, *Pages* and *Fissures*. The verse is sharp and never confusing. Extreme sexuality and violence are immediately followed by pages of completely unimportant, 'un-poetic' everyday actions that balance her poetry, just as they balance the poet in real life. Vlădăreanu is an expert in alternatively exposing the reader's insecurities and her own weaknesses and, when this psychological equilibrium game is played at high tension, her poems become extremely intense and provoking:

> I've hastily gathered my things
> and stuffed them in two plastic bags
> now I'm waiting to leave.
> my traces are a few imaginary stains
> of blood and pus left on the imaginary bed-linen
> and this brown beetle
> that I pass from one palm to the other
> it can't be more than a beetle
> pulled out of the dream ... then why do I feel it
> as if it's walking under my skin?
>
> *the third, deeper fissure. of the memory*
> Elena Vlădăreanu

The same game is played by **Marius Ianus**, only with a different intensity. Both his collections, *Anarchist Manifesto and Other Fractures* (2000) and *The Bear in the Container* (2003), encompass poems of extreme, hollow vulgarity, next to powerful, sensitive texts. He is by far the most exemplary and extreme specialist in the Romanian language of this young generation: he often proves his mastery of the language in unusually fresh images that feel entirely relaxed and inevitable. An obvious feature of 'Letters 2000' writings is the influence of West Coast American poetry and possibly The New York Poets. The influence made some hasty critics refer to the 'fracturists' as the Romanian Beat generation. But, as Ianus's own lines stand to prove, their latest published work shows a definite shift towards a more grounded poetry:

> I've written other poems as well since then but none like
> > > *toilet paper*
> > it was a poem like a knife
> > in the spirit of a haiku: Those who masturbate
> > > > are flowers
> > and I couldn't ever but rewrite *toilet paper*
> > > if I didn't grow tired
> > otherwise what's with this saxophone sounding rustily in the poem?

> Ode *Toilet paper*
> Marius Ianus

Ruxandra Novac's poetry has seen the same evolution, some of her poems bearing the ensign of Allen Ginsberg. Novac's collection, *ecograffiti. pedagogical poems. flags on towers* was, however, the best debut collection published in 2003. It is strikingly Romanian: every poem has a deep national reasoning behind it. The overall feeling of her work is one of apparently paradoxical frustration — as the poet, though living in a democratic country now, seems unable to adapt to it, and is unwilling even to do so. Her main themes are a kind of national misanthropy with Bucharest, the 'dead rat' seen in the sunset; and the conscience of an oppressive past that somehow still drains all hope and reason from life, making 'the revolt — obsolete like a movie about peasants'. The poet's emotions and private reactions are shockingly vivid and are cleverly used to convince the reader, to prove the reality of this existence that should be accepted simply:

> because I live here
> in the center of the disaster
> and I've seen
> I, antonin artaud,

my father and mother
and I myself

from *ecograffiti*
Ruxandra Novac

As previously mentioned, these poets are all alumni of literature departments of different universities and, as such, they have a very strong understanding of poetry as a high calling and possess a 'serious' attitude towards writing and its literary value. The 'Workshoppers', on the other hand, boast no literary background other than their own readings and enthusiasms. Instead, they tend to deploy their own non-literary specialisations to charm their way into poetry and alter it for good, and for the good. While the 'fracturists' use exclusively the most "authentic" poetic devices, for the 'utilitarians' anything goes so long as it works. They have accepted more easily the idea that the reader's understanding of poetry is just as important as their own.

adrian urmanov published his debut collection *The Cannonical Flesh* in 2001 (the title co-opts the ambiguity of *cannon* and *canon*). Without presaging the 'utilitarian' extravaganza of his next book, this first collection demonstrates the poet's ability to write dense and "traditionally" literary lines. The poet's understanding of poetry as a form of manipulation is clearly illustrated in his second collection *utilitarian poems* (2003). The texts are no longer regarded as poems, but as totally open and straight advertisements of the poet's message from the very first page to the last. Very often, the same idea is rewritten in several different forms, as the poet addresses various "target readers" and reshapes the poem according to his/her expectancies and understanding of poetry so that the poem should reach its most efficient form possible for each category of readers. This makes for a fascinating show at times, though some readers might prefer the visceral mystic vision of his previous collection.

Andrei Peniuc had a remarkable double debut in 2002 with *A Small Animal* and *Small Manual on Terrorism*. Both books, especially *Small Manual*, build on a cumulus of frustrating attempts to create a connection, a link with one's neighbour, while the poet himself has not entirely decided to take the experience to its end. Each series of poems within these two collections is developed around the poet's desire to communicate, but placed in the context of his own personal inability to do so:

why do you listen to eminem? do you like him?
when she saw him singing live in barcelona
adria said: what vacuous eyes he has!
that's when I understood why I like him
she said vacuous I think she meant to say frightened

Appendix (About Enimem)
Andrei Peniuc

His poems are an invitation for the reader to share experiences and push each other forward, but what the poet has to offer in return, implacably ruins any kind of possible connection. 'snuff' and 'appendix (about eminem)' are two perfect examples of Peniuc's best poetry. In both of them, he uses a clean, simple vocabulary to hold these long poems together and a narrative structure to make the poems into "page-turners". By the time the reader becomes aware of the autistic nature of the relationship the poet offers, their attention has already been caught by the actual story of the poem, or the main characters, usually well known public figures and pop stars. They may not add anything to the poems, but they do sustain the casual reader's engagement.

The same intentions can be detected in **Ovia Herbert**'s collection *almost a rat*. Although his poems apply almost the same devices as adrian urmanov in his *utilitarian poems*, Herbert makes a subtle change in their purpose. His collection is structured as a permanent alternation between dense, slightly traditional poetry (reminding some readers of the poets that started writing in the late 1980s and early 1990s) and simple, outspoken short poems, which function like a linking thread throughout the entire collection, allowing the reader enough time to catch breath after the difficult sections. Herbert has a clear feeling for both these ways of writing, although sometimes the reader may feel slightly pushed away by the sudden shifts between the two discreet poetic voices. What he possesses however is precision and whenever he succeeds to meld the two styles his poems become both intense and recognisable, and it is in these poems that he obtains a clear, concise and strong personal voice:

one behind the other
in halls in streets in basements of the city
without making noise we wait
the time of waste
we'll hear cheering
trained on the fly

without holding the fluids from one to the other
what's started like a murmur
will enlarge comprising us
a symphony inside which we'll see ourselves
differently.

refrain: you believe what you can't see
what doesn't happen and
is about to take shape.

(one) from *the openings*
Ovia Herbert

Three poets that have been a significant presence in the Romanian new poetry, though without having been included in any of the literary circles, complete our choice for this anthology. For example, **Răzvan Țupa** has succeeded in developing a wholly personal way of writing and understanding poetry, which was beautifully put into practice in his debut collection *fetish* (published in 2001 but re-edited in 2003 with the new title *fetish — a romanian book of pleasure*). This ambitious collection placed Țupa in a very fortunate position of having the best of both worlds *and* finding the grass greener on each side of the fence. While he was practically unaffiliated to any of the two key literary circles or their corresponding movements, he had actually attended the meetings of both the Caragiale Workshop and 'Letters 2000'. Both *fetish* and *all the objects into which we cram our intentions to grow close* (the underground first version of his next collection) are intended as parts of a long-term project called *romanian bodies* which Țupa has developed in various literary magazines from the time of his debut. *fetish* is an irresistibly flowing read. One of the final effects of reading the book through as a whole is confusion, as the poems fail to build up into any clear feeling or message. This changes visibly in *all the objects into which we cram our intentions to grow close*. These poems have won a great deal of clarity; the vocabulary is strictly controlled; and the poet seems to focus more on what he intends to get across to the reader.

Unlike Răzvan Țupa, **Zvera Ion** works with simple vocabulary and strikingly clear images. After her award-winning debut collection *The Coffee Child*, Ion's latest poems take a more obvious turn away from the Romanian writing tradition. Her second collection *Acetone* is a sinuous read, being one single long poem from the first page to the last. As with Andrei Peniuc's "fiction-poems", Zvera Ion's *Acetone* works as a complete short-story about the cruelty of solitude within a normal, social existence. If Peniuc uses point of view and action as devices for his longer poems, Zvera Ion seems more comfortable with depicting scenes, 'like at the theaaatre', as she says in one of her poems. The narration is not clearly stated: it is implied, it is pushed forward through short lines like 'when he comes to me', 'I know it's evening' or by placing her characters on buses travelling from one place to another. Most of her poems are set indoors, with one static character looking at and reacting to other characters, most of them imagined. While Andrei Peniuc changes the point of view constantly, like an omniscient narrator, keeping the reader focused by always jumping into that character's head, Zvera Ion's point of view never changes; we are always in the same character's head; and that makes it much easier to empathise and follow the author throughout the entire collection.

Dan Sociu made a strong debut in 2002 with his collection *Well tied up jars, money for one more week*, following the path Marius Ianus had already broken with his debut two years earlier. Sociu has the same abrupt way of relating to reality and deals with almost the same subjects. What is new is the poet's voice. Sociu's specialism is the proud loser rather than the revolutionary young man:

> and we, climbed on the wet stone benches
> with old newspapers crammed under our arses
> one of us said you know what I'd make myself
> a necklace from cigarette butts
>
> this happened in '95
> because after emptying the second bottle
> we put it standing over the other one
> and the bottle stood
>
> then came a girl with a violin
> she knew one single tune
> which she sang twice
>
> boredom big as china somebody said
> we gloss them and hang them around the neck somebody else said
>
> *As Big as China*
> Dan Sociu

This pose and poise reduces the intensity of the poems (all the sexual violence is made redundant), but Sociu is smart enough to find a suitable replacement by transforming his loser into an extremely sympathetic character. He may not fight the State (and the entire society as Ianus does), but he takes good care to lose all his battles in the exact way everyday Romanians know and love.

Every new generation of poets generates a new generation of critics. According to Octavian Soviany, the main theoretician of the young generation of authors, **Adela Greceanu** is the first of these authors to have made a clear turn from the traditional ways of Romanian literature in the late twentieth century. Soviany built up an entire theory based on Greceanu's first two collections, *the title of my poem, which preoccupies me so much* and *Miss Cvasi*: the so-called "cvasi-literature". Greceanu is one of the most controversial poets of her generation. Many of the new poets themselves argue against her subjective, sometimes seemingly patheticised approach to poetry. To other readers though (and we are part of those readers), Greceanu has an incredibly objective approach to poetry. She constantly keeps her deeply subjective poetic persona under strict control and uses this as a naïve witness to the real world around her. Thus, all her collections can be read in quite different ways: that of the naïve girl and her subjective emotional life, and that of the objective reality she inhabits. This is a reality that the character might not be aware of, but that the reader can clearly see, thanks to Greceanu's ability to distance herself constantly from her persona and provide an objective, implied context for her reactions.

All these prove to be very effective methods of writing a contemporary poem, one appealing to many kinds of readers, whether amateur or professional. Some may feel this is no longer something they would call poetry. They're right. It is no longer poetry. It's a reinvention of it. The country in which such practice has developed is no longer Romania but a reinvention, or rewriting, of Romania.

One of the dedicatees of this book is Marin Mincu. He succeeded in attracting almost all the new writers currently writing in Romania to the Euridice literary circle. We want to finish by saying that, for the purposes of this anthology, we considered all the young poets who have read their texts in all of the nearly seventy meetings of Euridice. The sole criterion used in the selection of the poets included here has been the extent to which they have distanced themselves from the poets of the previous generations: those who have dared to use new devices or apply new theoretical approaches to poetry in the new Romania.

DAVID MORLEY AND LEONARD ALDEA
THE UNIVERSITY OF WARWICK, 2004

NOTES ON THE TRANSLATIONS BY LEONARD ALDEA

We have decided not to use any additional punctuation as compared to the Romanian version, but rather to change the form of the poems in order to help the English reader. This explains why, many times, the lines are broken differently in the two versions, and why the shape itself of the poems differs from one language to the other.

These changes have been made with the authors' permission, following their guidelines and preferences for certain devices that could have been used. For instance, Zvera Ion and Andrei Peniuc preferred the use of em-dashes; Răzvan Ţupa allowed us to cut the lines differently when needed; while in Ruxandra Novac's case, we used capitalised letters, as well as reshaping some of her poems.

From the very beginning, some clear choices about the translation process were made. One of them has been to keep the order of the words as close to the Romanian version as possible, even with the risk that it affects the flow of the poem. Ending the line, or the entire poem on a particular word rather than another, is a very personal feature for each author. Also, the ambiguous nature of some parts of the texts, as well as the peculiarities of the vocabulary, has been maintained according to the Romanian version. Where required the rhyme of the poems has also been kept.

ACKNOWLEDGEMENTS

The poets included in this anthology have all graciously given permission for their poems to be used in this project. Both editors also with to thank the University of Warwick's Department of English and Comparative Literary Studies for creating and fostering the environment in which this collaborative project could take place, and colleagues in that Department at the time of production, especially: Jeremy Treglown, Maureen Freely, Peter Mack and Jane Rogers.

We also acknowledge: The Open Society Institute, the Foreign and Commonwealth Office, and the University of Warwick for supporting Leonard Aldea's study in the United Kingdom; Elizabeth Dembrowsky for reading several versions of the translated text, and for making invaluable suggestions; Răzvan Țupa for the considerable spade work of locating the original poems in Romanian; and Harriet Paige for her encouragement, faith and hospitality.

DUMITRU CRUDU

Dumitru Crudu was born in Moldavia in 1967 and studied Literature at the 'Transilvania' University in Brasov.

His books include *the false dimitrie* (Arhipelag, 1994) which won both the Romanian Writers' Union and the Moldavian Writers' Union debut awards, *it's closed, please don't insist* (Pontica, 1994), *six chants for those who want to rent apartments* (Paralela 45, 1996), *the bloody murder in the violets resort* (Arc, 2001), and *save boston* (Cartier, 2001).

He works as a playwright.

DUMITRU CRUDU

the false dimitrie (1994)

November 8, 1967 (morning)

dimitrie

I am the rat and I am the worm
I am the butterfly flying in the air
we all are those walking
on the ground and crawling along on our elbows our voices
are not heard they are weak weak
but sometimes we see ourselves I am the rat
pulling out its head from a hole I know
I'm ugly and because of this I suffer enormously
while I am the worm
slithering through manure
and I have complexes but evening comes and takes me
in its palms and plays with me we all are
lonely lonely and suffer enormously
because of it while I am the butterfly
flying up and I am alone alone and I
get frightened sometimes when I look in the mirror
but evening comes and summer comes and we
go out to the fields and listen to your songs
and we like them enormously
I am the rat and I am the worm
and I am the butterfly flying in the air
and we are crazy about
your absurd songs

***

falsul dimitrie(1994)

opt noiembrie 1967 (dimineaţa)

dimitrie

eu sunt şobolanul şi eu sunt viermele
eu sunt fluturele care zboară prin aer
noi cu toţii suntem cei care mergem
pe pămînt şi ne tîrîm în coate vocile
noastre nu se aud sunt slabe slabe
dar uneori noi ne vedem eu sunt şobolanul
care îşi scoate capul dintr-o gaură veche ştiu
eu sunt urît şi din cauza asta sufăr enorm
iar eu sunt viermele
care mişună prin bălegar
şi eu am complexe dar vine seara şi mă ia
în palme şi se joacă cu mine noi cu toţii suntem
singuratici singuratici şi suferim enorm
din cauza asta iar eu sunt fluturele care
zboară pe sus şi eu sunt singur singur şi mă
înspăimînt uneori cînd mă uit în oglindă
dar vine seara şi vine vara şi noi
ieşim pe cîmpie şi ascultăm cîntecele
voastre şi nouă ne plac enorm
eu sunt şobolanul şi eu sunt viermele
şi eu sunt fluturele care zboară prin aer
şi nouă ne plac la nebunie
cîntecele voastre absurde

***

a beetle heads to the other end
of the table
and looks at the moon
there are chairs glasses there are plates
it doesn't stop
its colour is black
it's night outside
it is
incredibly lonely
I
sit on a chair nearby
and watch it

the false dimitrie crudu

dimitrie (crudu) got out of the house rolled over
like chocolate foil or nut shells
the birds followed him and fluttered
the leaves hummed
hello hello
on the back door he got out in a long shirt
and left the door open

dimitrie has just one single suit
for one single time
his buttons lie in a small heap on the table
he sows them only when he wears the suit

dimitrie never drinks a glass
to the bottom
he has on the table about six other glasses

dimitrie lifts up his hands
and contradicts himself

now like a curtain at the window dimitrie
gets out of the house
like demetrios
who walks in front of him
and the door he leaves it open as well

un gândac merge spre capătul celălalt
al mesei
şi se uită la lună
sunt scaune pahare sunt farfurii
nu se opreşte
e negru la culoare
e noapte afară
el este
nemaipomenit de singur
eu mă
aşez pe un scaun alături
şi îl privesc

falsul dimitrie crudu

dimitrie (crudu) a ieşit din casă s-a rostogolit
ca nişte hârtii de ciocolată ca nişte coji de nucă
păsările l-au urmat şi-au fâlfâit
frunzele au bâzâit
salut salut
pe uşa din dos a ieşit într-o cămaşă lungă
şi uşa a rămas deschisă

dimitrie are doar un singur costum
o singură dată
nasturii săi stau grămăjoară pe masă
şi-i coase doar când îmbracă costumul

dimitrie nu bea niciodată un pahar
până la fund
el pe masă mai are vreo şase pahare

dimitrie ridică mâinile în sus
şi se contrazice

acum ca o draperie la geam dimitrie
iese din casă
ca şi demetrios
care merge în faţa sa
şi uşa la fel o lasă deschisă

the washed dishes

they met in a
           common
                      summer kitchen.
she was washing the dishes looking at him
so that he'd forgotten
what he
        came for
and then
        he
approached her

and kissed her she'd just
finished washing
the dishes

***

I already have no more problems
I even bought the marble
it's white it's
shiny

I've been to see
that place, also
there are some trees there, as well
tall tall

and you know
the marble fits
marvellously with the rest

***

the deserted beach, the rocks rise—down down
décolletages the decline
sometimes big words are used

vasele spălate

s-au întîlnit într-o
            bucătărie de vară
                        comună
ea spăla vasele şi îl privea
încît el uitase
pentru ce
            venise
şi atunci
            el
se apropie de ea

şi o sărută   ea tocmai
terminase de spălat
vasele

***

eu deja nu mai am nici o problemă
mi-am cumpărat şi marmora
e albă e
strălucitoare

am fost şi am văzut
şi locul ăla
sunt şi nişte copaci acolo
înalţi înalţi

şi ştii
marmora se potriveşte
de minune cu restul

***

plaja părăsită stîncile se înalţă jos jos
decolteuri declinul
uneori se folosesc cuvinte mari

and the line between two words sometimes sometimes
in our childhood we've all had sores at our armpits
but there comes a time when problems seem
unimportant
at least once—each of us furiously
slammed a door
many times you want with all your heart to
take the shirt out of your trousers
but let's be serious
there are some women who like
fish meat
there are some men who sometimes
forget their fingernails on the table
there are hosts of people who've been
at least once alone on all the beach
sometimes simple simple words are used
sometimes the little line between them is used as well

the false dimitrie crudu

he was also brought a
washbasin
like any other man who
passed by there

they filled it
with hot water
and at its side
they put one more
washbasin
with cold water

then he was left alone

and only when
he started to
wash his legs
suddenly
somebody entered

şi linioara între două cuvinte uneori uneori
cu toţii am avut bube în copilărie la subsuoară
dar vine un timp cînd problemele ni se par
neimportante
fiecare dintre noi a închis măcar o dată
cu furie o uşă
de multe ori vrei cu tot dinadinsul să-ţi
scoţi cămaşa din pantaloni
dar să fim serioşi
sunt unele femei cărora le place
carnea de peşte
sunt unii bărbaţi care uneori
îşi uită unghiile pe masă
sunt o sumedenie de oameni care au fost
măcar o dată singuri pe toată plaja
uneori se folosesc cuvinte simple simple
uneori se foloseşte şi linioara între ele

falsul dimitrie crudu

i se aduse şi lui un
lighean
ca oricărui alt om care
trecea p-acolo

i l-au umplut
cu apă fierbinte
iar alături
i-au mai pus
un lighean
cu apă rece

apoi a fost lăsat
singur

şi doar atunci
când începu să-şi
spele picioarele
brusc
intră cineva

the songs of a salami seller

dimitrie

when the stars appeared
and the wind started to blow
we got out as well
from our bathtubs filled with water
on our bodied thin flows
still streaming
the stars shone

we stood with our back
towards them

how are you dimitrie?

she came riding a fly a butterfly
through the room she was riding them beating them with the riding whip
hey how are you dimitrie the butterfly asked him
fine fine answered dimitrie
the butterfly forced his dick between her thighs she was moaning in the air
far far away
dimitrie was taking off his shoes
a rat was gnawing at his fingers—eating them
where do you come from dimitrie the flies asked him and smiling
they sat on his tongue and talked to him
and yet how are you she asked him and caressed
his guts liver—embraced him
but who are you dimitrie asked her
oh you don't remember she said coming out of the water
getting down from the butterfly and that one going away

cântecele unui vânzător de salam

dimitrie

când au apărut stelele
şi a început să bată vântul
am ieşit şi noi
din căzile cu apă
pe corp ne mai curgeau
şuviţe subţiri
stelele străluceau

noi stăteam cu spatele
la ele

ce mai faci dimitrie

ea venea călare pe o muscă pe un fluture
prin cameră îi călărea îi bătea cu biciuşca
ei ce mai faci dimitrie îl întreba fluturele
bine bine îi răspundea dimitrie
fluturele îi băga pula între coapse ea gemea în aer
          departe departe
dimitrie se descălţa de pantofi
un şobolan îi rodea degetele i le mânca
de unde vii dimitrie îl întrebau muştele şi îi zâmbeau
i se aşezau pe limbă şi îi vorbeau
şi totuşi tu ce mai faci îl întreba ea şi-i mângâia
maţele ficatul maiera îi îmbrăţişa
da tu cine eşti o întreba dimitrie
o cum nu-ţi aminteşti îi spunea ea ieşind din apă
dându-se jos de pe fluture şi ăla plecând

dimitrie

a red blanket covers you
every evening
spreads on your naked body
like huge palms
it's red all to the edges
it's just you and it
in a deserted room
it spreads over your naked
tits and legs
it gets to your lips
and sometimes it's left alone
in the bed
just as alone
as I am now dimitrie

the same

they've returned they've returned maria the flies
have returned
oh how glad I am
do you hear them flapping
their little wings
in the hall
maria

they've returned they've returned
maria the flies

we didn't open the door for them
but they got in

we didn't indicate the address to them
but they found us

we forgot them maria we forgot them

they've returned they've returned maria the flies
and they are the same absolutely the same
as last year

dimitrie

o pătură roşie te înveleşte
în fiecare seară
se întinde pe corpul tău gol
ca nişte palme imense
este roşie toată
până la margini
eşti numai tu şi ea
într-o cameră pustie
ea se întinde peste ţâţele
şi picioarele tale goale
îţi ajunge până la buze
iar uneori rămâne singură
în pat
la fel de singură
cum sunt şi eu acum dimitrie

la fel

au revenit au revenit maria muştele
s-au reîntors
o ce bine îmi pare
le auzi cum bat
din aripioare
în antreu
maria

au revenit au revenit
maria muştele

noi nu le-am deschis uşa
dar ele au intrat

noi nu le-am indicat adresa
dar ele ne-au găsit

noi le-am uitat maria le-am uitat

au revenit au revenit maria muştele
şi sunt la fel absolut la fel
ca şi anul trecut

dimitrie

have you at least once opened the door dimitrie and she
being actually naked and inside her nobody
and the door and that room to be yours in fact
I wonder have you ever taken off your slippers dimitrie
and they being actually dirty
have you ever stripped off your clothes
and noticed that they roll down on the floor like
a drunk woman—have you ever felt sleepy dimitrie
have you ever laid down on the bed and felt next to you
there was nobody—that you fall in a white void—didn't you also try
then dimitrie to get hold of some soft breasts catch hold of some breasts
like some stone stairs—but felt like in fact
they were also missing didn't you look then also for some welcoming thighs
that you could not in fact find didn't you try
to hide under a woman's hair that was also
missing—some thin arms would have held you then but they also
were missing—didn't you also feel dimitrie
that there were no wet feet to stretch
like snails under you oh dimitrie dimitrie
were you still thinking then of murders of literature of chess
I wonder didn't you get out then to walk in the night
and darkness stripped in front of you
from everywhere like an immense virgin's cunt

dimitrie

ai deschis oare şi tu vreodată uşa dimitrie şi ea
de fapt să fie goală şi înlăuntrul ei să nu fie nimeni
şi uşa şi camera aia să fie de fapt ale tale
oare te-ai descălţat şi tu de papuci vreodată dimitrie
iar ei de fapt să fie murdari
te-ai dezbrăcat oare şi tu de haine
şi ai văzut oare că ele se tăvălesc pe jos pe podea ca o
femeie beată ţi-a fost şi ţie somn vreodată dimitrie
te-ai întins oare şi tu în pat şi alături de tine să simţi că
nu este nimeni că te prăbuşeşti într-un gol alb n-ai încercat
oare şi tu atunci dimitrie să te apuci de nişte sâni
moi ca de nişte scări de piatră dar să simţi că de fapt
şi ele lipsesc n-ai căutat oare şi tu atunci nişte coapse
primitoare şi pe care de fapt să nu le găseşti n-ai încercat
să te ascunzi sub un păr de femeie care şi el
lipsea te-ar fi strâns atunci nişte braţe subţiri dar şi ele
lipseau oare n-ai simţit şi tu dimitrie
că nu sunt nişte picioare umede care să ţi se întindă
ca nişte melci sub tine o dimitrie dimitrie
te mai gândeai atunci la crime la literatură la şah
oare n-ai ieşit şi tu atunci în noapte să te plimbi
iar întunericul să ţi se dezgolească în faţă
de peste tot ca o imensă pizdă de fecioară

it's closed, please don't insist (1994)

in front of the window

in front of the window
a shirt
like a tongue
pulled
at the passers-by
hangs
and dries
on the wire
how stupid
it is
and what an insult
it is wet
what a shame
for
the master
what a shame
it is
all soaking wet
and it hangs
stretched
like a drunk
woman
better
put it on
wet like this
master
it's better
because
you don't stain
in any way
your dignity
while this way
what a disgrace
a wet
shirt

e închis vă rugăm nu insistaţi (1994)

în faţa ferestrei

în faţa ferestrei
o cămaşă
ca o limbă
scoasă
la trecători
stă
şi se usucă
pe sârmă
ce stupid
e
şi ce insultă
ea este udă
ce ruşine
pentru
stăpân
ce ruşine
ea este
udă leoarcă
şi stă
înşirată
ca o femeie
beată
mai bine
s-o îmbraci
aşa udă
stăpâne
mai bine
căci
nu-ţi pătezi
cu nimic
demnitatea
pe când aşa
ce dezonoare
o cămaşă
udă

on the wire
what a human
decadence
it hangs and
dries
how degrading

elegy

why do you say it's warm
no I can't see
any horse
why should I get lost
in which attic
afterwards perhaps
a gate
perhaps
a yard
aren't you ashamed
yes but the Russians aren't coming
nobody's coming
the woods you say
what kind of woods
a swarm like a king in
a field riding
a bison
let us
enter the house
like heroes

the sleep of dimitrie's father

the doors banging the walls
noises two pear-trees
white wet
my father sleeps on the balcony
hidden under bed-sheets
the pillow falls on the floor
by the dirty socks

pe sârmă
ce decădere
umană
stă şi se
usucă
ce degradare

elegie

de ce zici că e cald
nu nu văd
nici un cal
de ce să mă car
în care pod
după aceea poate
o poartă
poate o curte
nu ţi-e ruşine
da dar nu vin ruşii
nimeni nu vine
despre pădure zici
ce fel de poduri
un roi ca un rege pe
un câmp pe
un bour
haide să
intrăm în casă
ca nişte eroi

somnul tatălui lui dimitrie

uşile lovindu-se de pereţi
zgomote doi peri
albe ude
tatăl meu doarme pe balcon
ascuns sub cearceafuri
perna îi cade pe podea
alături de ciorapii murdari

by the old shoes
in the room it is dark
the window — open
it smells like fish
it stinks a chair
without a leg
my father's legs
hairy uncovered
another chair lacks its back
his hands are hanging down
sweaty
on the table — glasses plates
dirty jugs
on the floor — traces peelings
like on a thin bridge
my father speaks in his sleep
a dusty lamp is burning
paper sheets — rumpled
white
like a clenched fist
spattered
they are falling down
the walls are tall
rocks placed
one above the other
there is an open wardrobe
my father
screams in his sleep

evening

tables deserted him
chairs deserted him
the spoons the glasses
all of them all
deserted him
the jugs the brooms
and the bulb in the ceiling

alături de pantofii vechi
în cameră e întuneric
fereastra deschisă
miroase a peşte
pute un scaun
fără un picior
picioarele tatălui meu
păroase dezvelite
un alt scaun e fără spătar
mâinile îi spânzură în jos
asudate
pe masă pahare farfurii
căni murdare
pe podea urme coji
ca pe un pod subţire
tatăl meu vorbeşte în somn
o lampă prăfuită arde
foi de hârtie mototolite
albe
ca un pumn strâns
împrăştiate
cad jos
pereţii sunt înalţi
pietre puse
una peste alta
e un dulap deschis
tatăl meu
strigă în somn

seara

mesele l-au părăsit
scaunele l-au părăsit
lingurile paharele
toate toate
l-au părăsit
cănile măturile
şi becul din tavan

six chants for those who want to rent apartments (1996)

Today I saw a beetle

today I saw a beetle
crossing the dining-room
and today you should have
come to me Maria

it stopped in one corner
it didn't want to enter the hole
I WAS WAITING FOR YOU and thinking
perhaps it was also waiting for you

I saw you talking to the porters on the stairs

I saw you talking to the porters on the stairs
I thought about how you'd grown old
And I didn't want to enter that building
You were talking with a bottle of milk
in one hand Once
we were drinking wine together in the park

From the bus station I saw your wrinkles You can see them
at a distance
No use wearing glasses and drinking milk
and now flirting with that young porter no use
no use your five years of college
and taking down in notebooks some
wise thoughts

I got on a trolley and got off
the next station Perhaps I look ever more
pathetic

şase cînturi pentru cei care vor să închirieze apartamente (1996)

astăzi am văzut un gîndac

astăzi am văzut un gîndac
cum străbătea sufrageria
şi tu astăzi trebuia
să vii la mine Maria

a rămas într-un colţ
nu vroia să intre în gaura
EU TE AŞTEPTAM şi mă gîndeam
că şi el poate te aştepta

te-am văzut vorbind cu portarii pe scări

te-am văzut vorbind cu portarii pe scări şi
m-am gîndit cît de tare ai îmbătrînit
şi n-am vrut să intru în clădirea asta
stăteai de vorbă cu o sticlă de lapte în
mînă Altădată
beam vin împreună în parc

din staţie îţi vedeam ridurile ţi se văd de la
o poştă
degeaba porţi ochelari şi bei lapte
şi flirtezi acum cu portarul ăla tînăr degeaba
degeaba ai mers cinci ani la facultate
şi ai transcris în caiete nişte gînduri
înţelepte

am urcat într-un troleu şi am coborît
peste o staţie Poate eu arăt şi mai
lamentabil

But what is that man doing there
asks a fly

BUT WHAT is that man doing there asks a fly
another fly
while flying I'll go see said
that fly And she descended I don't understand ANYTHING it
yelled from down there Something like THIS at ours in the world
of flies has never been seen STILL WHAT IS HE DOING
I can see he's lying in bed I SEE yelled
that fly desperately—he took off his
pants
I CAN SEE HE LAYS WITH HIS FACE TO THE PILLOW
and he's lifting up and pushing down
something like this I've never seen yelled again
that fly getting closer
to the other fly
TWO FLIES were flying through the room and were extremely
amazed
NOBODY COULD tell them
AND SO THEY STARTED TO MAKE LOVE
above that man who
was masturbating

dar ce face omul ăla acolo
întreabă o muscă

DAR CE face omul ăla acolo întreabă o muscă
pe o alta muscă
în timp ce zburau Mă duc să văd i-a spus
musca aia Si a coborît Nu înțeleg NIMIC i-a
strigat ea de jos AȘA Ceva la noi în lumea
muștelor n-am mai văzut TOTUȘI CE FACE
văd că stă întins în pat VĂD a strigat
musca aia cu disperare că și-a scos
pantalonii
VĂD CĂ STĂ CU FAȚA ÎN PERNĂ
și se ridică în sus și coboară
așa ceva n-am mai văzut a strigat iar
musca aia apropiindu-se
de cealaltă muscă
DOUĂ MUȘTE zburau prin cameră și erau extrem
de mirate
NIMENI NU putea să le spună
ȘI ATUNCI AU ÎNCEPUT SĂ FACĂ DRAGOSTE
deasupra omului ăla care
se masturba

ADELA GRECEANU

Adela Greceanu (penname of Dutu Adela Maria) was born in 1975 in Sibiu and studied Journalism at the University of Sibiu.

Her books include *The title of my collection, which preoccupies me so much* (Eminescu, 1997), *Miss Cvasi* (Vinea, 2001), and *The straight in the heart understanding* (Paralela 45, 2004).

Currently, she works as a literary shows producer, at the Cultural Romania Radio Station.

e-mail: adelagreceanu2000@yahoo.com

ADELA GRECEANU

The title of my collection, which preoccupies me so much (1997)

When you retype/edit my texts, please start
each line with a capital letter, even if your capital
letters do not match my capital letters, even without
paying attention to the latter. This way, each text will
expect to be retyped a certain number of times, which
it holds within itself, in its essence. It will always be
another (something else). Each text is a little monster.
The number of ways it can be written probably stands
for the age it will die at.

***

Perhaps there was a primary fund of events —
The given ones — and we, from an excess of zeal,
Added some others. Of course, they can not be
Compared with the given ones but — what an irony!
— We don't even know how to distinguish between
Them anymore. The first, and actually the only valid
Events, are clear as daylight.
We are amazed: no, events cannot be but
Individual, no matter how invented, how perfected
They are.
Events can turn their back on you, can mind
Their own business, even if you invent them, they
Hold their own.

***

Titlul volumului meu, care mă preocupă atât de mult (1997)

Când transcrieţi/editaţi textele mele, începeţi, vă rog, fiecare rând cu literă mare, chiar dacă majusculele dumneavoastră nu corespund cu majusculele mele, chiar fără să ţineţi seama de acestea din urmă. Astfel, fiecare text va aştepta să fie transcris de un număr de ori pe care-l are închis în sine, în esenţa lui. Va fi mereu altul (altceva). Fiecare text e un mic monstru. Numărul de feluri în care poate fi scris reprezintă probabil vârsta la care va muri.

***

Poate că a existat un fond primar de evenimente — Cele date — iar noi, in exces de zel am adăugat şi Altele. Desigur, nu se pot compara cu cele date dar — Culmea! — nici noi nu mai ştim să le deosebim. Primele, si de fapt ingurele evenimente valabile sunt Clare ca lumina zilei.

Ne mirăm: nu, evenimentele nu pot fi decât Unele de sine stătătoare, oricât ar fi ele de inventate, De puse la punct.

Evenimentele îţi pot întoarce spatele, îşi pot Vedea de treabă, chiar dacă le inventezi, ele tot pe-a lor O ţin.

***

I have sweet water fingers. I poured home-made
Syrup over them. The fingers are shared among the
Flowers, each of them has a yellow flower. There are
Many yellow flowers. Some of them taller, some
Shorter. The short ones look for something in the
Grass. In fact, they are also tall, but they bent to one
Side or the other, they sank a little in the ground.
When they don't want to grow — when they are
Looking for something — so that nothing is lost, their
Roots grow, in the opposite side. And they are also
Yellow and beautiful, as if they've just sprung now
For the first time.

My fingers are shared among the flowers. Now,
With these sweet fingers, I think I'll cause a great joy
To the yellow flowers. I'll strive to delight all of them
At once, both the tall ones, and the short ones,
Although these latter ones are a little more difficult to
Please. Their joy will please me just as much.

***

Last summer is a house painted in yellow and
Red and other similar colours. The people inside the
House are silent. They just smile, as in a photograph.
Their words have long ago grown silent, since I don't
Live there anymore. I don't know when exactly this
Happened. I assume it was like this: while I was still
Living inside the house, just as soon a word happened
To be born, it was immediately turned into a flower,
Grass, sun, so that the summer grew. That is, the
Walls of the house grew, and by growing, they got
Further and further from me, I who was there,
Between the four of them. I didn't realise what was
Happening and I talked a lot and very beautifully. Still
Talking word-flowers, the walls kept getting further
In the four directions until I ended up outside. Outside
Was summer.

***

Degetele mele sunt de apă dulce. Am vărsat
Sirop de casă peste ele. Degetele sunt împărţite
Florilor, fiecare are o floare galbenă. Sunt multe flori
Galbene. Unele mai înalte, altele mai scunde. Cele
Scunde caută prin iarbă. De fapt şi ele sunt înalte dar
S-au aplecat pe-o parte sau pe alta, s-au lăsat puţin în
Pământ. Când nu vor să crească — atunci când caută —
Ca să nu se piardă nimic, creşte rădăcina lor, în partea
Opusă. Iar ele sunt tot galbene şi frumoase, de parcă
Acum au răsărit pentru prima oară.

Degetele mele sunt împărţite florilor. Acum, cu
Degetele astea dulci cred că voi face o mare bucurie
Florilor galbene. Mă voi strădui să le bucur pe toate
Deodată, şi pe cele înalte, şi pe cele scunde, deşi acestea
Din urmă sunt puţin mai greu de mulţumit. Bucuria
Lor mă va bucura şi pe mine la fel de tare.

**

Vara trecută este o casă vopsită în galben si roşu
Şi alte culori asemănătoare. Oamenii din casă tac. Ei
Doar zâmbesc ca într-o fotografie. Vorbele lor au tăcut
De mult, de când nu mai locuiesc eu acolo. Nu ştiu
Când anume s-a întâmplat acest lucru. Presupun că aşa
A fost: Când încă mai eram în casă, cum se întâmpla să
Se nască o vorbă, ea era imediat preschimbată în
Floare, iarbă, soare, astfel că vara sporea. Adică pereţii
Casei tot creşteau şi crescând se îndepărtau de mine
Care eram acolo, între ei patru. Nu-mi dădeam seama
Ce se întâmplă şi vorbeam foarte mult şi foarte
Frumos. Tot vorbind vorbe-vorbe, pereţii se
Îndepărtau şi mai mult în cele patru direcţii până când
M-am trezit afară. Afară era vară.

**

Opening a window, a butterfly can come in the
Room. But an open window is no longer a window. It
Can be a door, for instance. When it enters the room,
The butterfly actually remains outside, and only its
Flight enters, and it is the flight that we see. The
Butterfly remains near the window hovering in place,
Until its real flight returns to it and they leave
Together. That's why they say: "The butterfly seizes
Its flight" — and leaves, we could add. But this
Happens only by opening a window, which then does
Foolish things, in the sense that it believes itself to be
Either an open door, or an open eye, or even a
Butterfly — who's to tell? — a butterfly, which
Remains outside and only its flight enters the room
And it is the flight that we see, and then it returns to
Its butterfly and they leave together while somebody
Quickly closes the window, lest other butterflies
Enter the room.

***

We stand face to face. I begin by breathing
Clean air in my chest, imagining that I fixed one of its
Ends inside, then I let it out. You receive the air I
Breathed out, like a kiss, breathing it in, and you tie its
Other end in the depths of your lungs, like planting it.
You respond to me, letting back out the air you've
Received, as if the root in the lungs flowered. And I
Gather the air between us, I hide it quickly behind my
Back, and I ask of you to guess in which hand I caught
It. You make desperate signs that you have no air to
Breathe, I insist that you guess. You haven't guessed,
Instead you greedily breathe in the air I let go of my
Hand. You breathe in, you breathe out, all by
Yourself. You forgot about me. You seem happy,
Free, but I say you breathe in vain. Eventually, you
Look down — I was at your feet. I was not breathing
For a long time.

Deschizând o fereastră, poate intra în cameră un
Fluture. Dar o fereastră deschisă nu mai e o fereastră.
Poate fi o uşă deschisă, de exemplu. Când intră în
Cameră, fluturele de fapt rămâne afară şi numai zborul
Lui intră şi pe el îl vedem. Fluturele rămâne în dreptul
Ferestrei zburând pe loc până când zborul adevărat se
Întoarce la el şi pleacă împreună. De aceea se spune
"Fluturele îşi ia zborul" — şi pleacă, am putea adăuga.
Dar aceasta se întâmplă numai deschizând o fereastră
Care apoi îşi face de cap, în sensul că se crede ba o uşă
Deschisă, ba un ochi deschis, ba chiar un fluture — mai
Ştii? — un fluture care rămâne şi numai zborul lui
Intră în încăpere şi pe el îl vedem, după care se
Întoarce la fluturele lui şi pleacă împreună în timp ce
Cineva închide repede fereastra, să nu mai intre
Fluturi în cameră.

***

Stăm faţă în faţă. Eu încep trăgând aer curat în
Piept, închipuindu-mi că i-am fixat un capăt înăuntru,
Apoi îi dau drumul. Tu primeşti aerul expirat de mine
Ca pe-un sărut inspirându-l şi-i legi celălalt capăt în
Adâncul plămânilor ca şi cum l-ai sădi. Îmi răspunzi
Expirând înapoi aerul primit ca şi cum ar fi înflorit
Rădăcina din plămâni. Iar eu culeg aerul dintre noi, îl
Ascund repede la spate şi te pun să ghiceşti în care
Pumn l-am strâns. Îmi faci semne disperate că nu mai
Ai aer, eu insist să ghiceşti. N-ai ghicit, în schimb
Inspiri lacom aerul eliberat din pumnul meu. Inspiri,
Expiri de unul singur. Ai uitat de mine. Pari fericit,
Eliberat dar eu spun că expiri în gol. Într-un târziu te
Uiţi în jos — eram la picioarele tale. Nu mai respiram
De mult.

Miss Cvasi (2001)

One day I sang all sorts of words with my mouth open as if to utter "ah". Shyly, at first, then louder and louder, I let the sounds out of my throat, my lungs, my entire body and I felt an exhausting relief, which, still, seemed all right. I climbed up and down, quickly, with the sound on my lips. Or I descended slowly and suddenly, I entered a corridor that seemed to have never been walked by a human voice before. At those times I didn't hear myself anymore. And you entered the house. You didn't hear me either. How good! It seemed to me you were even smiling. I had shut up anyhow. No, you weren't. At that moment, the phone could have rung. But we didn't have a phone. That way, I would have heard how you talk.

***

Inside, the damp descends licking the walls. It's a lot of life in here. In one corner, the salt, in another, the grass, the third cannot be counted and, in the fourth one, it continuously rains. From above, from the ceiling, which is the sky, it rains to feed the yellow flower in the fourth corner. The house has been built around it, turns after the sun with it, and it has only one room, whose corners change places between themselves at every important moment of the day. From a distance, it looks like a house as those drawn by children — it lacks perspective. It looks like a postcard. But it has a life of its own, a rhythm that you feel just as you're inside. If you live here, you discover its dimensions in the most startling places. In the corners, for instance. You discover how easily it unwraps and grows into a shape, yet from outside it still looks like a photograph.

***

Domnişoara Cvasi (2001)

Într-o zi cântam tot felul de sunete cu gura deschisă ca pentru a-l rosti pe "a". La început timid, apoi tot mai tare lăsam sunetele să-mi iasă din gât, din plămâni, din tot corpul şi simţeam o descărcare epuizantă care, însă, îmi făcea bine. Urcam şi coboram repede cu sunetul pe buze. Sau coboram încet şi deodată o apucam pe un culoar ce părea că nu mai fusese străbătut de voce de om. Atunci nu mă mai auzeam. Şi ai intrat în casă. Nici tu nu m-ai auzit. Ce bine! Mi se părea chiar că zâmbeşti. Oricum tăcusem. Nu, nu zâmbeai. În acel moment putea să sune telefonul. Dar nu aveam telefon. Aşa te-aş fi auzit cum vorbeşti.

***

Înăuntru umezeala coboară lingând pereţii. E multă viaţă aici. Intr-un colţ, sarea, în altul, iarba, al treilea nu se poate numâra iar în al patrulea plouă neîntrerupt. De deasupra, din tavan, care e cerul. Plouă ca să hrănească floarea galbenă din al patrulea colţ. Casa a fost clădită in jurul ei, se învârte odată cu ea după soare şi are o singură cameră ale cărei colţuri îşi schimbă locurile între ele la fiecare moment important al zilei. De departe pare o casă cum sunt cele pe care le desenează copiii — îi lipseşte perspectiva. Pare o vedere. Dar ea are o viaţă a ei, un ritm pe care îl simţi îndată ce eşti înăuntru. Dacă locuieşti aici, îi descoperi dimensiunile în cele mai neaşteptate locuri. Pe la colţuri, de exemplu. Descoperi ce uşor se despâtureşte şi prinde formă, dar de afară tot o fotografie pare.

***

I upholstered that chair. It had been stained for a long time, I found an old dress, of a colour close to its own, in which I dressed it up. Since then, it has been my chair.

Before I sat down, a noise disturbed my thoughts. A stain appeared on the chair, which I noticed only on the second day. I didn't sit on the chair anymore, I took it out to the sun. The third day, instead of drying off, and only a simple vague outline to be left of it, the stain started to stand out in relief. I didn't watch the chair for two days. The sixth day, I looked at it by chance and I noticed the spot moving slowly, as if in a viscous liquid, and it had a clearly outlined profile. And in the seventh day, the stain was whimpering.

***

A flapper, suffering from gigantism, with long, thin bones, bending her back to fill inside the room, her fingers heavy with the phalanxes, knots of water just spun out of dust, with her lips petrified into a large smile, from one wall to the other, and with lots of other body parts endlessly lengthened—that's how it was, the first morning that caught us together.

Around it, on stools, sat our aunts. I noticed them, through the flapper's grass-like eyelashes, exchanging looks and turning faces, while we were singing so loud that the flapper's teeth chattered. And we started to dance around the aunts, who were stiff in their chairs. They couldn't turn their heads, couldn't stretch their hands, rigid on their laps. They could only move their faces. A snowflake, floating close to an aunt's mouth, suddenly disappeared.

As the morning lengthened, a nation of aunts were dying. From the beanpole's skin, grass was growing.

***

Eu am tapisat în verde scaunul acela. Era pătat de multă vreme, am găsit o rochie veche de o culoare apropiată de a lui, cu care l-am îmbrăcat. De atunci e scaunul meu.

Înainte să mă aşez, un zgomot mi-a tulburat gândurile. Pe scaun a apărut o pată, pe care am observat-o abia a doua zi. N-am mai şezut pe scaun, l-am scos la soare. A treia zi, în loc să se usuce şi să rămână din ea doar un contur vag, pata a început să iasă în relief. Nu m-am uitat două zile la scaun. A şasea zi l-am privit din întâmplare şi am observat cum pata se mişca încet, ca într-un lichid vâscos şi avea un profil clar conturat. Iar în a şaptea zi pata scâncea.

***

O puştoaică suferind de gigantism cu oasele lungi şi subţiri, cocoşându-se ca să încapă în cameră, cu degetele grele de falange, noduri de aţă abia toarsă din praf, cu buzele încremenite într-un zâmbet larg, dintr-un perete într-altul şi cu multe alte părţi trupeşti prelungite la nesfârşit aşa a fost prima dimineaţa care ne-a surprins împreună.

În jurul ei s-au aşezat pe taburete mătuşile noastre. Le-am zărit printre genele ca iarba ale lunganei cum schimbă priviri şi fac feţe-feţe, în timp ce noi cântam de clănţăneau dinţii lunganei. Şi-am început să dansăm în jurul mătuşilor înţepenite pe scaunele lor fără spătar. Ele nu-şi puteau întoarce capul, nu-şi puteau întinde mâinile încremenite în poală. Doar feţele şi le puteau mişca. Un fulg plutind în dreptul gurii unei mătuşi, într-o clipă a dispărut.

Pe măsură ce se lungea dimineaţa, un popor de mătuşi murea. Din pielea lunganei creştea iarbă.

***

Your beard, wiry and brown, reminds me of the white, grumpy, taciturn tomcat. I can even imagine: if you had become friends, you and the tomcat would have shared many, in the cool mornings. You would have talked about my caressing, or about how you've become so grumpy.

Once, some unknown insects nestled in your beard. You grew more and more pale, almost transparent, until the tomcat lured the insects into its fur. You lay in bed for a while. Then, one morning, you opened your eyes and the tomcat licked them with its last drops of saliva.

You told me how you slept innumerable sleeps in a female's abdomen. You enjoyed yourself in there, but you were also afraid: outside, the female's fellow creatures were on the look out for you, incredibly nervous that you mixed into their species.

Shortly after this event, one night, between our bed-sheets, I heard a heart beating.

***

As it had disappeared while sleeping, I draw with the tip of my finger another undershirt on your body. I pushed hard, until the nail became white, transparent, and through it I saw the trail left on the warm skin, a road. Your insects should pass this way. If they get to the end of the road, which looks like a creak in a wood, you can feel it with the tip of your finger, they'll lay down there, whole and sleepy, your soul.

Barba ta aspră şi brună îmi aminteşte de motanul alb, morocănos şi taciturn. Îmi închipui: tu şi motanul, dacă v-aţi fi împrietenit, v-aţi fi împărtăşit multe în dimineţile răcoroase. Aţi fi vorbit despre mângâierile mele, sau despre cum aţi ajuns aşa de morocănoşi.

Odată, în barba ta s-au cuibărit nişte insecte necunoscute. Te-ai făcut din ce în ce mai palid, aproape străveziu, până când motanul a ademenit în blana lui insectele. Ai zăcut o vreme. Apoi, într-o dimineaţă ai deschis nişte ochi pe care motanul i-a lins cu ultimele sale picături de salivă.

Mi-ai povestit cum ai dormit nenumărate somnuri în burta unei femele. Ţi-era bine, dar ţi-era şi frică: afară te pândeau semenii femelei, nervoşi la culme că te-ai amestecat în neamul lor.

La puţină vreme după această întâmplare, într-o noapte, am auzit printre cearceafurile noastre bătând o inimă.

***

Cum dispăruse în timpul somnului, am desenat cu vârful degetului alt maieu pe trupul tău. Am apăsat tare, până unghia s-a făcut albă, transparentă şi am văzut prin ea dâra lăsată pe pielea caldă, un drum. Pe acolo ar trebui să treacă insectele tale. Dacă vor ajunge la capătul drumului, care seamănă cu o crestătură în lemn, o poţi simţi cu buricele degetelor, vor depune acolo, întreg şi somnoros, sufletul tău.

The straight in the heart understanding (2004)

ALBEDO

The bird flies inside a big bird,
the fish swims in a huge fish.

In this world, things hide inside their features,
like in signs or in words.
They hide, revealing themselves partially.
There is, though, a language that does not hide.
It's much like a music.

If you are a bird or a fish,
you have to climb up a rope
to the bird or the fish that contains you,
having the same features, only that much larger.

Or to climb down the same rope,
to the fish or the bird inside you,
having the same features, only much smaller.
On the road, you'll grow bigger or smaller
According to the one waiting for you.
Then, on the rod, you will know the music,
the language that does not hide.

And I no longer wait at the root of the flame,
I'm in.

Înţelegerea drept în inimă (2004)

ALBEDO

Pasărea zboară într-o pasăre mare,
peştele înoată într-un peşte imens.

În lume, lucrurile se ascund în însuşirile lor,
ca în sens sau în cuvinte.
Se ascund dezvăluindu-se în parte.
Există însă o limbă care nu ascunde.
Seamănă mult cu o muzică.

Dacă eşti pasăre sau peşte,
trebuie să te caţeri pe o frânghie
la pasărea sau peştele care te conţine,
cu aceleaşi însuşiri, însă mult mai mari.

Sau să te cobori, pe aceeaşi frânghie,
la pasărea sau peştele dinăuntrul tău,
cu aceleaşi însuşiri, însă mult mai mici.
Pe drum vei creşte sau te vei micşora
pe măsura celui care te aşteaptă.
Atunci, pe drum, vei cunoaşte muzica,
limba care nu ascunde.

Iar eu nu mai stau la rădăcina flăcării,
am intrat.

(...)
Together we climbed up a narrow staircase, to a
garden. I in front. I raised my arms and opened
the wings of my garments. "How beautifully you climb!"

I fill myself with thick golden perfume. Cloying light
pours at the sides of my mouth. Light works at me,
weaves me into thousands of fine threads. I flutter like leafage
penetrated by the sun. As if I had rays.

His eyes are blue like a sky that reflects
an earth.

In the first evening he offered me a pill of chewing
gum: "Will you have dinner with me?"

(...)
I wake up at night in the rhythm between writing
and living. He hears the rhythm and comes.
He says I don't need calcium three times
a day, I need to be happy.

(...)
I have the reactions of a young beast, unaccustomed
to womanly refinements. My angers are clean and
healthy. I show them to him. Those women who tell him that
they don't mind, who pretend they accept anything, they do it
to keep him. In fact, they don't accept and don't understand
anything and from here begins a demonstration of the
feminine malignancy.

I take the bracelet off my hand to put it around
my ankle. It is too tight. I try to grasp my ankle with
my hand. There's still space left for a finger. They say the man who
can grasp a woman's ankle is her ideal mate.
I recall what I can grasp with my fingers.

Sometimes, when I go to a terrace with greenery
all around, the air becomes the one at our meeting. How
do you replace the blood from one body with another blood.

4

(...)

Am urcat împreună o scară îngustă, într-o grădină. Eu înainte. Am ridicat brațele și mi-am desfăcut aripile veșmântului. "Ce frumos urci!"

Mă umplu de parfum auriu gros. Lumină cleioasă mi se scurge pe la colțurile gurii. Lumina mă lucrează, mă țese în mii de fire subțiri. Fremăt ca frunzișul prin care trece soarele.

Ochii lui sunt albaștri ca un cer care reflectă un pământ.

În prima seară mi-a oferit o pastilă de gumă de mestecat: "Vrei să cinezi cu mine?"

(...)

Mă trezesc noaptea în ritmul dintre scriere și trăire. El aude ritmul și vine.

Spune că nu am nevoie de calciu de trei ori pe zi, am nevoie să fiu fericită.

(...)

Am reacții de sălbăticiune tânără, nededată la rafinamente femeiești. Supărările mele sunt curate și sănătoase. I le arăt. Femeile acelea care-I spun că nu se supără, care pretind că acceptă orice, fac asta ca să-l păstreze. În fond, ele nu acceptă și nu înțeleg nimic și de aici începe o demonstrație a maleficului feminin.

Îmi scot brățara de la mână ca să mi-o prind la gleznă. E prea strâmtă. Încerc să-mi cuprind glezna cu mâna. Rămâne loc de un deget. Se spune că bărbatul care poate cuprinde glezna unei femei este perechea ei ideală. Îmi aduc aminte ce pot eu cuprinde cu degetele.

Uneori, când merg pe o terasă cu verdeață în jur, aerul devine cel de la întâlnirea noastră. Cum înlocuiești sângele dintr-un trup cu alt sânge.

I'm through with fear and its fears.

Sometimes his face can be seen through my skin. As one time,
looking in the mirror, I had his smile and look
from one morning in the wood.

I feel you golden inside me. You are my weightless
fruit. And I am beyond woman, and I no longer exist
for sadness and fear.

(...)
We'll find a bicycle that will carry us on
the sea. Its wheels will roll over the waters and, from time to
time, they'll throw up lairs for us.

(...)
The woman inside me does not sleep. She can turn
into a beast because she is sly. And she can steal my instruction
to satisfy her vanity.

(...)
I wish we loved each other like a man loves another man.

I have several ways of crying. One is part of the
numbers of the woman with horns. I've learnt to recognise it. That
one, I don't take seriously. I behave like a strong man
who knows that, that crying, if paid attention to, will seek revenge.

I carry inside even the name I would have had if
I had been born a boy.

He tells me sometimes "hey, old man!"

I've started to feel what he feels. I saw a blonde
woman and I felt that he'd have liked her. And I liked her
too. The double feeling infuriated me.

I'm as careful as his heart.

(...)

Am terminat-o cu frica şi fricile ei.

Chipul i se vede uneori prin pielea mea. Cum odată, privindu-mă în oglindă, aveam zâmbetul şi privirea lui dintr-o dimineaţă în pădure.

Te simt în mine auriu. Eşti rodul meu fără greutate. Iar eu sunt dincolo de femeie. Si nu mai exist pentru tristeţe şi frică.

(...)
O bicicletă vom găsi, care să ne poarte pe mare. Roţile ei se vor rostogoli pe ape şi, din când în când, vor scobi un culcuş.

(...)
Femeia din mine nu doarme. Se poate transforma într-o bestie căci e vicleană. Şi-mi poate fura învăţătura ca să-şi atingă orgoliul.

(...)
Aş vrea să ne iubim ca-ntre bărbaţi.

Am mai multe plânsuri. Unul face parte dintre numerele femeii cu coarne. Am învăţat să-l recunosc. Pe acela nu-l iau în serios. Mă port ca un bărbat puternic care ştie că plânsul acela, luat în seamă, se va răzbuna.

Port în mine şi numele pe care l-aş fi avut dacă m-aş fi născut băiat.

El îmi spune uneori "bre, bătrâne!"

Am început să simt ce simte el. Am văzut o femeie blondă şi am simţit cum lui i-ar fi plăcut. Şi mie mi-a plăcut. Sentimentul dublu m-a înfuriat.

Sunt ca inima lui de atentă.

(...)

Sometimes he opens like a peach of flesh, oozing
blood and nerves.

(...)
When I think of you, I fill myself with honey. I know
how you feel me. I am water that finds you, soaks you and
drains out of you with a flux and a reflux.

The earth has something under its skin with which it feels what
the water feels reaching it. Under my flesh there is something with which
I feel what your blood feels when it caresses my flesh. There
I am your moan.

When our mixed waters rest,
one can see warm-blooded fish, well fed, floating close
to the surface.

From now on everything I eat is sweet and fluid, first soaked
in a thick, blessed saliva.

(...)
Burn your lusts so your soul remains pure, dry,
without its slippery oils. I begin to taste with its taste.

When I write, I push with the end of the pencil the pellicle
that surrounds me like an indigo. And the print of my breath
becomes visible.

Uneori se deschide ca o piersică de carne, mustind de sânge şi nervi.

(...)
Când mă gândesc la tine, mă umplu de miere. Ştiu cum mă simţi. Sunt o apă care te găseşte, te îmbibă şi se stoarce din tine cu flux şi reflux.

Pământul are sub piele ceva cu care simte ce simte apa întâlnindu-l. Sub carnea mea este ceva cu care simt ce simte sângele tău când mângâie carnea mea. Acolo sunt geamănul tău.

Când apele noastre amestecate se odihnesc, se văd peşti cu sânge cald, bine hrăniţi, plutind aproape de suprafaţă.

De-acum tot ce mănânc e dulce şi fluid, muiat mai întâi de o salivă groasă, binecuvântată.

(...)
Să-ţi arzi poftele şi sufletul să rămână pur, sec, fără uleiurile lor alunecoase. Încep să gust cu gustul lui.

Când scriu, împing cu vârful creionului pelicula ce mă înconjoară, ca pe un indigo. Şi amprenta respiraţiei mi se face vizibilă.

MARIUS IANUS

Marius Ianus (penname of Marius-Cristian Drajan) was born in Predeal in 1975 and studied Literature at the University of Bucharest.

He is part of the Letters 2000 and Euridice literary circles.

His books include *toilet paper* (Carmen underground series, 1999), *anarchic manifesto and other fractures* (Vinea, 2000), *Mamijuana — best known of...* (Fractures underground series, 2002), *the bear in the bin — a movie featuring myself* (Vinea, 2002), and *Toilet paper, preceded by the first poems* (Vinea, 2004).

Currently, he works as a journalist.

e-mail: mariusianus@hotmail.com

MARIUS IANUS

anarchic manifesto and other fractures (2000)

Ode Toilet paper

With hands frozen
    with legs even colder
        I'll eventually go to Dracula
            Mihai worked there people had to
            put their hands on a certain image say
            a few formulae
                he received four letters in which he was told
                it had worked
the old black and white mad chestnut trees are swinging
                    what did their flowers smell like?
        I'll give Paul Miski's book
        I won't talk to some girls who ignore me
            I told them "Take me with you" and they didn't
            take me
the poem hasn't started yet
                a little bit of patience
        picture your best friend with his eyes yanked out
            sticking his bloody palms to your face
                          OK
Angelo didn't return
            to set free the time the bladder
            the prohibited smoking
Maria was talking about a mirror
        in which somebody didn't want to see its back
Miski will give me too the master's car
            and books
Paul complained they attacked his computer

manifest anarhist şi alte fracturi (2000)

Odă Hârtie igienică

Cu mâinile îngheţate
    cu picioarele încă reci
        o să mă duc până la urmă la Dracula
           Mihai a lucrat acolo oamenii trebuiau să
           pună mâna pe o anumită imagine să spună
           câteva formule
                a primit patru scrisori în care i se spunea
           că a mers
se leagănă castanii vechi alb-negru nebuni
                  cum le miroseau florile?
      o să-i duc lui Paul cartea lui Minski
      n-o să vorbesc cu nişte fete care mă ignoră
          le-am spus "Luaţi-mă cu voi" şi nu
          m-au luat
poemul încă nu a început
           puţintică răbdare
        închipuie-ţi cel mai bun prieten cu ochii scoşi
          lipindu-şi palmele năclăite de faţa ta
                          OK

nu s-a reîntors Angelo
         să dea drumul la timp la vezică
         la fumatul oprit
Maria vorbea despre o oglindă
        în care cineva nu vroia să-şi vadă spatele
Miski o să-mi dea şi mie cartea maestrului
        şi cărţi
Paul s-a plâns că i-au asaltat calculatorul

from the very beginning
the literary circle got crammed with pre-Stanescu poets
we are just pale hungry teenagers—
how to oppose that?
the poem hasn't started yet
it snows outside the sweater, hung with green clips at the window
sweater, coffee with milk
dizzy flakes are spinning
and tersely
I felt lifted from the chair dancing with all
the winds among the branches on which let's write fresh paint
and my soft bones were getting stuck to the bones of others I was sliding
as if bobsledding right into the palm of a poor
unhappy child
and I found myself in the head of a madwoman preaching
after a staggering clinical death
with the hearts of others in my teeth
with the exclamation mark between my pupils
with you
the poem hasn't started yet
Cristina came back to go to the movie
I sat on the stairs with Anamaria
with Daria on my mind
not to get her rumpled
I stood with my nose pressed against the windowpane
to see who got downstairs first
in the snow
I wrote desperate messages on the notice boards in the department
with unknown recipients
I signed them anonymously
I took interest in the leaves that were still in the chestnut trees
and the poem that didn't start
If desperation exists, broken eyes
which the snow doesn't cover
it nevertheless snows
if *toilet paper* exists
written by me...

de la bun început
cenaclul ni s-a umplut de prestănescieni
noi suntem nişte adolescenţi palizi flămânzi
cum să te opui
poemul încă nu a început
ninge dincolo de plovărul prins cu clame verzi la fereastră
plovăr cafea cu lapte
se învârt fulgi zăpăciţi
şi brusc
m-am simţit ridicat de pe scaun dansând cu toate
vânturile printre crengile pe care să scriem proaspăt vopsit
şi oasele mele moi se lipeau de oasele altora alunecam
ca la săniuş până în pumnul unui copil sărac
nefericit
şi mă trezeam în capul unei nebune parlamentând
după o moarte clinică ameţitoare
cu inimile altora între dinţi
cu semnul exclamării între pupile
cu tine
poemul încă n-a început
s-a întors Cristina să mergem la film
am stat pe scări cu Anamaria
cu Daria în cap
să nu se şifoneze
am stat cu nasul lipit de fereastră
să văd cine ajunge primul jos
în zăpadă
am scris mesaje disperate pe afişierele facultăţii
cu adrisantul necunoscut
le-am semnat anonime
m-au interesat frunzele care încă au rămas în castani
şi poemul care încă n-a început
Dacă există disperare ochi sparţi
pe care zăpada nu-i acoperă
totuşi ninge
dacă există *hârtie igienică*
scrisă de mine...

When I wrote *toilet paper* I was going in for my baccalaureate
                then I was baking bread
Cucu was dancing dead drunk on Doors and yelling that the disciple
        exceeded his master he was already in Nirvana
The trailing was pulling phone lines from the street poles
                        and we were talking gibberish
George had begun to mimic me
      he'd have climbed on the bench next to me while I was reciting
Popica had brought me money in the madhouse
      It was told that he'd found me on the pedestal trying to shave
          Davila
When I came back I was like a vegetable
          I could only see straight forward
Mache had changed the notes in the computer
                 I had got out of a teenage crisis
          I had tried to commit suicide
          and I was writing a raw book
               with its skin peeled
                    in which to wipe down all my
                       swelled imagined filth

I've written other poems as well since then but none like
                      toilet paper

   it was a poem like a knife
        in the spirit of a haiku: Those who masturbate
                                are flowers
and I couldn't ever but rewrite *toilet paper*
               if I didn't grow tired
otherwise what's with this saxophone sounding rustily in the poem?
why do I only listen to Hooker?
        and I want to return home
            but not at home — we don't even have a home
     somewhere where a home wouldn't be needed
               beyond the whitewashed mask of the moon
    on this side of this cheating face of a drug addict
             who wants to break the shop windows
where there's nobody else anymore
       or if there's a girl she puts you in a swing and casts a spell of life over you
       if there's a professor you shut up and he takes notes in a frenzy

Când am scris *hârtie igienică* îmi dădeam bacul
apoi făceam pîine
Cucu dansa beat pe Doors şi îmi striga că discipolul
şi-a depăşit maestrul e deja în Nirvana
Târâiala trăgea fire de telefon din stâlpi şi
vorbeam în tufe
George începuse să mă imite
s-ar fi urcat pe bancă lângă mine când recitam
Popică îmi adusese bani la balamuc
se povestea că mă găsise pe soclu încercând să-l rad
pe Davila
când m-am întors eram ca o legumă
vedeam doar în faţă
Mache modificase notele în calculator
eu ieşisem dintr-o criză de adolescenţă
încercasem să mă sinucid
şi scriam o carte crudă
cu pielea jupuită
unde să-mi şterg toată mizeria
umflată închipuită

Am scris şi alte poeme de atunci dar nici unul ca
hârtie igienică
era un poem ca un cuţit
în spirit de haiku: Cei care se masturbează
sânt nişte flori
şi niciodată n-aş fi putut decât să rescriu *hîrtie igienică*
dacă n-aş fi obosit
altfel ce e cu saxofonul ăsta care sună ruginit în poem?
de ce ascult doar Hooker?
şi vreau să mă întorc acasă
însă nu acasă — noi nici n-avem casă
undeva unde să nu fie nevoie de casă
dincolo de masca văruită a lunii
dincoace de chipul ăsta trişor de aurolac care
vrea să spargă vitrinele
unde nu mai e nimeni
sau dacă e o fată ea te pune în leagăn şi-ţi descântă
de viaţă
dacă e un profesor tu taci şi el îşi ia furibund notiţe

if you're a child you give others the entire cake
if you love her she runs to the monastery
if you understand your brain opens and inside the brain

      bursts
                her smile like a diamond
and she's less and less somebody
      snowman spread with ink smoking
   the poem hasn't started

There are girls worth getting you out of your skin for
             like a flayed rabbit
   but none are her
there are living flesh monuments of loneliness
     at night in the residence hall
    I wrote a blues for them
But the poem hasn't started yet
   this prologue is long because the snowing takes long
   there are in it friendships that make my eyes more
   hysterical longer closer to tears
perhaps you've read it for nothing
     there isn't even going to be a poem
  but you can read *toilet paper*
   one fragment was published in the military high school anthology
    Paul has it now
in *toilet paper* I wore my heart of a winged dog
   wrapped carefully in my pocket
     with my hands frozen
       with my feet still cold
        live: having sex
          in the snow

dacă eşti un copil le dai celorlalţi toată prăjitura
dacă o iubeşti fuge la mănăstire
dacă înţelegi ţi se desface craniul şi în creier

izbucneşte
                    zâmbetul ei ca un diamant
şi ea e tot mai puţin cineva
            om de zăpadă împroşcat cu cerneală fumegînd
poemul n-a început

Există fete pentru care merită să-ţi ieşi din piele
                    ca un iepure jupuit
        dar nici una nu-i ea
există monumente de carne vie ale singurătăţii
            noaptea   pe holul căminului
        pentru ele am scris un blues
dar poemul încă n-a început
        prologul ăsta e lung pentru că ninsoarea e lungă
        şi există în el prietenii care fac ochii mei mai
        isterici mai lungi aproape de lacrimi
poate l-ai citit degeaba
            nici n-o să fie un poem
    dar poţi să citeşti *hârtie igienică*
        a apărut un fragment în antologia liceului militar
            acuma e la Paul
în *hârtie igienică* am purtat inima mea de câine cu aripi
        învelită atent în buzunar
            cu mâinile îngheţate
                cu picioarele încă reci
                    în plină fornicaţie
                        în zăpadă

On the corridor with Alexandru Matei

Pay attention, I told him, here comes a mouse
it opens and out of it a flame appears
       that bursts a few empty bottles
Filled with blood, he answered
and I circled dizzily until
       I forgot where
I was in the department hall waiting for Godot
       Until we unfolded our middle fingers
to signal
       towards who?
          where?

Explaining to a bum what poetry is

The sun ball clashed with the road to the Poiana
       and got blood all over it
come here on the edge of the artesian fountain to see how
       it's penetrated by the spears of the water
trust me the ball of the sun got blood all over it
       you only have to understand
when a crowd of scribes wiped the sweat
       of their foreheads the idiot exaltations
on the pages of the books trust me poetry is only
       what you understand
poetry is when you want to tell me something
       that should stick to my mind
to my heart, which is a sad fish dreaming
       to fall asleep in a wet vagina
a sad fish dreaming to give its last breath inside a
       wet vagina, still not to be found
in my brain, are ticking clocks that don't exist
       are running taps long ago thrown
to the bin I love the sun but I can't know
       if it loves me
with its forehead, bloodied by the thorns of the hill now
       right now
I don't love loneliness but nobody dragged me out

În hol cu Alexandru Matei

Fii atent, i-am spus, vine un şoarece
se desface şi din el iese o flacără
care sparge cîteva sticle goale
Pline cu sânge, mi-a răspuns
şi m-am învârtit năuc până
n-am mai ştiu unde
Eram în holul facultăţii şi-l aşteptam pe Godot
până ne-am întins degetele mijlocii
ca să semnalizăm
spre cine?
unde?

Explicându-i unui vagabond ce-i poezia

Bila soarelui s-a lovit de drumul spre Poiană
                şi s-a umplut de sânge
vino aici pe ghizdul fântânii arteziene să vezi cum
                o străpung suliţele apei
crede-mă bila soarelui s-a umplut de sânge
                trebuie doar să-nţelegi
când o grămadă de scribi şi-au şters sudoarea
                frunţii exaltările idioate
pe foile cărţilor crede-mă poezie e doar
                ceea ce tu înţelegi
poezie e atunci când tu vrei să-mi spui ceva
                care să-mi rămână în minte
în inima mea care e un peşte trist visând
                să adoarmă într-un vagin ud
un peşte trist visând să-şi dea suflarea într-un
                vagin ud încă de negăsit
în creierul meu ticăie ceasuri care nu există
                curg robinete aruncate de mult
la gunoi Eu iubesc soarele dar nu pot să ştiu
                dacă el mă iubeşte
cu fruntea lui însângerată de spinii dealului acum
                chiar acum
Eu nu iubesc singurătatea dar nimeni nu m-a scos

of its desert
nobody loved me I need somebody
          listen
even a bulldozer getting on your nerves needs
          somebody
and a dog with crying eyes sniffing
          a trash bin
and a mad beggar fidgeting about at an
          underground station
and all the people in the hospitals where I lay
          for months
and all the cranes that lifted their melancholic necks
          on the waste lands
as if they should have thrust their glossy hooks
          in the moon when the whole
breath of the world stopped, and dragged it down
          for my lover
who doesn't exist

***

I don't get it I'm very happy
it depresses me,
having to buy a bus pass
Sometimes I just want to eat
other times I just want to sleep
other times I just want to write
poetry and find
a simple girl like that one
in her jeans and jumper, who was standing
at the artesian fountain in Sfatului Square
and she seemed to have lost everything
in some love story
and she couldn't care less

din pustiul ei
nimeni nu m-a iubit Am nevoie de cineva
ascultă
şi un buldozer care te calcă pe nervi are nevoie
de cineva
şi un câine cu ochi plângăcioşi care amuşină
o ladă de gunoi
şi o cerşetoare nebună care se bâţâie la o
gură de metro
şi toţi oamenii din spitalele în care am zăcut
cu lunile
şi toate macaralele care şi-au ridicat gâturile
melancolice în spaţii virane
de parc-ar fi trebuit să-şi înfigă căngile lucioase
în lună când toată
respiraţia lumii se va fi oprit şi s-o tragă jos
pentru iubita mea
care nu există

***

Nu înţeleg sânt foarte fericit
mă deprimă faptul că
tre' să-mi iau abonament
Uneori vreau doar să mănânc
Alteori vreau doar să dorm
Alteori vreau doar să scriu
poezie şi să găsesc
o fată simplă ca aceea
în blugi şi plovăr care stătea
la fântâna arteziană din Piaţa Sfatului
şi părea că pierduse totul
în vreo dragoste
şi o durea în cot

After two days

After two days of thinking I'd die
after I swallowed a box of Piafen
and after I vomited it after
I dreamt a crowd of characters
who were all I and who were taking care of me
gently covering my pain after
that I called her
Come to me I told her now
I look like a potato that sprouted
come to have fun
we'll play beauty and
the beast at Predeal I didn't succeed to
fall asleep here I can my mother can't
live by herself at Predeal but I
felt I was going mad I left her
come to me Oana I love loneliness
Then I hang up and I told myself hell
is a white room where you lay tied-up and all
your teeth hurt and after they've all crumbled
new ones grow overnight
already decayed.

***

it doesn't even interest me
what's going to happen
to me
I stuff him daily with two loafs of bread
Ianus, the animal
But he's like the Dambovita river,
at times
you can't even tell which way it flows

După ce două zile

După ce două zile am crezut că o să mor
după ce am înghiţit o cutie de Piafen
şi după ce am vomitat-o după ce
am visat o grămadă de personaje
care eram eu şi care mă îngrijeau
îmi înveleau încetişor durerea după
aceea am sunat-o
Vino la mine i-am spus acuma
arăt ca un cartof care a încolţit
vino să te distrezi
o să ne jucăm de-a frumoasa şi
bestia la Predeal nu am reuşit să
adorm aici pot mama nu poate
să stea singură la Predeal însă eu
simţeam că înnebunesc am părăsit-o
vino la mine Oana eu iubesc singurătatea
Apoi am închis şi mi-am spus că iadul
e o cameră albă în care zaci legat şi te
dor toţi dinţii şi după ce ţi se macină toţi
îţi cresc peste noapte alţii
gata cariaţi

***

Nici nu mă-nteresează
ce-o să se întâmple
cu mine
îl îndop zilnic cu două pâini
pe ianuş pe animal
Dar şi el e ca Dâmboviţa
uneori
nici nu şti în care parte curge

Poetry

Two sparrows pull each other's eyes out
a cleaning lady stands with
her head in the toilet, straight like a
candle — somebody grasps her ankles
and pumps

This is not poetry If that's what you want
go to the cinema
In a poem Ianus goes to the park and
feeds the doves

Haiku

Red tulips
lie in buckets
with their heads broken
Did their minds take off?

Poezie

Două vrăbii îşi scot ochii una
alteia o femeie de servici stă cu
capul într-un veceu dreaptă ca o
lumânare cineva îi prinde gleznele
şi pompează

Asta nu e poezie Dacă vreţi asta
duceţi-vă la cinematograf
Intr-o poezie Ianuş se duce în parc şi
hrăneşte porumbeii

Haiku

Lalele roşii
stau în găleţi
cu capul spart
Minţile lor au pornit?

second hand news

Somebody

Here it is, loneliness, itself indeed
spinning above my head
like a future pie
Divide and subdue it! he may well
yell, Ianus, from his damp corner
but loneliness is my inflatable doll
sailing on the blood waters of my brain
loneliness is me in black in a tailcoat
reciting poems on a pile of rusted iron
with "Oeuvres Complètes" of
Roland Barthes under my arm because
nothing makes sense but
all carries significance and I say this
although my pockets are cram-full
with lists of ideas and archetypes
Loneliness is a man with a future
tied-up in chains on the throne of a toilet bowl
for ever.

On music by Florin Iaru

He was jolting the window to get hold of something
to thrust
his hooked fingers
in the hard, mad creature of the night

Is that all? the critic asks
suddenly blanching, tenderly throttling
All, all — answers
the engine-driver — you stretch it a little bit, son...
put something more into it...
Is that all?!?! howls a creature of air
taken out of the fridge and hastily bleached
What is all? asks the breakdown mechanic
pulling his smoky head out of the engine
like a late bomb
What is all — all?

All, all — answers the engine-driver
turning the key, pulling the crank, developing
the sadness, rattling the dark,
anchoring with the last dusty truck
the night.

second hand news

Cineva

Iată singurătatea chiar ea
se răsuceşte deasupra capului meu
ca o viitoare plăcintă
Dezbin-o şi cucereşte-o! poate
să strige Ianuş din colţul lui igrasios
dar singurătatea este păpuşa mea gonflabilă
navigînd pe apele sîngerii ale creierului meu
singurătatea sunt eu în negru în frac
recitînd poeme pe un maldăr de fier ruginit
cu "Oeuvres complètes" ale lui
Roland Barthes sub braţ pentru că
nimic nu are sens ci
totul are semnificaţie şi spun asta
chiar dacă buzunarele mele sunt ticsite
cu liste de idei şi arhetipuri
Singurătatea este un om de viitor
legat în lanţuri pe tronul unui veceu
pentru totdeauna

Pe muzică de Florin Iaru

Zgâlţâia fereastra să prindă ceva
să-şi înfigă
mâna cu degete încârligate
în făptura tare, nebunească a nopţii

Asta e tot? întreabă criticul
înverzindu-se subit, gâtuindu-se tandru
Tot, tot — răspunde mecanicul de
locomotivă — mai trage şi tu de ea, tată...
mai bagă tu ceva...
Asta e tot?!?! urlă o făptură de aer
scoasă din frigider şi apretată în pripă
Ce e tot? întreabă depanatorul
scoţând capul fumuriu din motor
ca o bombă târzie
Ce e tot, totul?

Tot, tot — răspunde mecanicul
băgând cheia, trăgând manivela, developând
tristeţea, hârâind întunericul,
ancorând cu ultimul vagon prăfuit
noaptea.

Toilet paper preceded by the first poems (2004)

to the reader

and when you want to hang yourself
because the others fail to know you anymore
think of me
I always have time for you
I stay here rooted in words
and I marvel... look
your eyes turned beautiful like binary stars
above a heavy sea

***

we are others
it would be sad to be ourselves
When you've knelt once you are another once
when you've knelt twice
you are another twice
and so on

(what)

what can
my drunken baboon face mean
in front of the sea?
Like when we walked at night
in the water between Saturn and Venus
and we saw the stars
and we never saw
the stars mirrored in the sea
but that still touched me
told by others invented
by their imagination
because I only understand words
and some of them
talk

Hârtie igienică precedată de Primele poezii (2004)

Cititorului

Şi atunci când vei vrea să te spânzuri
pentru că ceilalţi nu te mai ştiu
gândeşte-te la mine
Eu am mereu timp pentru tine
eu stau aici înrădăcinat în cuvinte
şi mă minunez... uite
ţi s-au făcut ochii frumoşi ca două stele
deasupra unei mări mohorâte

***

Noi suntem alţii
Ar fi trist să fim noi înşine
Când ai îngenuncheat o dată eşti altul o dată
când ai îngenuncheat de două ori
eşti altul de două ori
şi aşa mai departe

(Ce)

Ce poate să însemne
faţa mea de babuin turmentat
în faţa mării?
Ca atunci când m-am plimbat noaptea
între Saturn şi Venus prin apă
şi am văzut stelele
şi nu am văzut niciodată
stelele oglindindu-se în mare
dar m-a emoţionat asta
spusă de alţii croită
de imaginaţia lor
pentru că eu înţeleg doar cuvinte
iar unele dintre ele
vorbesc

free

I am somebody who's not dead yet
in spite of loneliness and cars
of good corridors and bad corridors
in spite of the girls who didn't love me and
didn't love me
I have a few meters of basement of my own
I know a few words I understand
some ideas
I have an expired passport and
very few hopes and
I want to have even fewer hopes
I can't be bought or sold
—so poor that
in high-school I sold the tapes of my mother
who I love

Liber

Sunt cineva care încă nu a murit
în pofida singurătăţii şi maşinilor
coridoarelor bune şi coridoarelor rele
fetelor care nu m-au iubit şi
nu m-au iubit
Am câţiva metri de demisol doar ai mei
ştiu câteva cuvinte înţeleg
unele idei
am un paşaport expirat şi
foarte puţine speranţe şi
vreau să am şi mai puţine speranţe
Nu pot fi cumpărat sau vândut
atât de sărac încât
în liceu vindeam casetele mamei
pe care o iubesc

ELENA VLĂDĂREANU

Elena Vlădăreanu was born in Medgidia in 1981 and studied Romanian and French in the Literature Department, University of Bucharest.

She is part of the Letters 2000 and Euridice literary circles.

Her books include *from the confessions of the distinguished misses m.* (Carmen underground series 2001), *Pages* (Timpul, 2002), which was shortlisted for the Bucharest Writers' Association and the Writers' Union debut awards, *fissures* (Pontica, 2003) and *Europe. Ten funeral songs* (Cartea Românească, 2005)

Currently, she is working as a journalist.

e-mail: elenavladareanu2000@yahoo.fr

ELENA VLĂDĂREANU

fissures (2003)

the third, deeper fissure. of the memory

ioane, here it is — the room they chop children into
I feel young. so young.
I am here in this musty ward
among sweaty breasty women
in flowered print dresses
goitrous women
with thick hair on their legs and armpits
with what ease one talks here
of death
and men stinking of plum brandy
who climb on top of the women
(because "the man climbs on top and then leaves")
after a few minutes it's over
if it has been anything else apart from
that spasm that reminds of death and disgust
you come here and you bring me oranges
you come here and you bring me oranges
three times you come here and you bring me oranges
you'd better take notes
to write... a handbook on lame women mating

***

fisuri (2003)

a treia fisură mai adâncă. a memoriei

ioane, iată camera unde se taie copii
mă simt tânără. atât de tânără
sunt aici în acest salon rânced
printre femei transpirate ţâţoase
cu rochii de stambă înflorate
cu guşi
cu păr des pe picioare şi la subraţ
cu câtă uşurinţă se vorbeşte aici
despre moarte
despre bărbaţi duhnind a ţuică de prună
care se urcă pe femeie
(că „bărbatul se urcă şi pleacă")
după câteva minute se termină totul
dacă a fost şi altceva în afară de
spasmul ăla care aduce a moarte şi greaţă
tu vii aici şi-mi aduci portocale
tu vii aici şi-mi aduci portocale
de trei ori tu vii aici şi-mi aduci portocale
ai face mai bine să-ţi iei notiţe
să scrii... un *tratat de împerechere la femeile şchioape*

***

since I came here I haven't even
washed my teeth that often
I eat pretzels and cheese sandwiches
without caring whether or not I've got
leftovers between my teeth
whether my teeth are yellow or whether
my mouth — holy thing — smells like shit
my underwear I change it once every 3 or 4 days
and even then I don't have the heart
I feel fine in this warmth
with a fragrance of sex and chopped baby

***

toilets here remind me of the toilets
in the literature department on edgar quinet street
with huge pools of urine abstract paintings
on the walls drawn with the finger
drawn with menstrual blood and shit
(because "we'll become civilized when we don't
wipe our arses with the finger
and we also use toilet paper")
toilets clogged with cotton tampons
condoms orange peelings

***

about myself I remember very seldom
I dream I'm in labour
it's a girl it's a girl and the doctor's voice
it's a girl and her name is maria or ioana
or andreea
then you come and you dress me up as a bride
you take me by the hand in the hall of the literature
department and you hold me in your arms
close close until the dream breaks
now I come and confess: this is an imaginary bed
only under the bed the tin basin
I keep the chopped baby in

***

100

de când sunt aici nici măcar
nu mă mai spăl pe dinţi aşa des
mănânc covrigi cu mac şi sandvişuri cu brânză
fără să-mi pese dacă-mi rămân
sau nu resturi între dinţi
dacă am dinţii galbeni sau dacă
gura sfânta de ea îmi miroase a căcat
chiloţii mi-i schimb o dată la trei-patru zile
şi nici atunci nu mă-ndur
mă simt bine în căldura
cu aromă de sex şi de copil tăiat

***

veceurile de aici îmi amintesc de veceurile
facultăţii de litere din edgar quinet
cu bălţi uriaşe de urină desene abstracte
pe pereţi făcute cu degetul
desene în sânge menstrual şi căcat
(că „vom deveni civilizaţi când nu
ne vom mai şterge la cur cu degetul
şi vom folosi şi noi hârtia igienică")
veceuri înfundate cu tampoane de vată
prezervative coji de portocală

***

de mine mi-amintesc foarte rar
visez că nasc
e fetiţă e fetiţă şi vocea doctorului
e fată şi o cheamă maria sau ioana
sau andreea
atunci vii mă îmbraci în mireasă
mă duci de mână în holul facultăţii
de litere şi mă strângi în braţe
tare tare până se rupe visul
acum vin eu şi mărturisesc: ăsta e un pat imaginar
doar sub pat ligheanul de tablă
în care păstrez copilul tăiat

***

they're probably lice. besides for about ten
minutes I watch the woman in the next bed
she speaks an unknown language
she mumbles
I see her kicking her leg repeatedly
with a piece of plastic to kill
some beetle a gluey sleep comes over me
in the second class waiting room of the North Station
waiting for the train to medgidia
right in front of you a fat gypsy woman
lifts her dresses above her head
she takes a white fish out from her sex
gives it to the controller instead of a ticket
here you have, maica, have something to pay your man with
and she throws the fish in your bra
she winks at you
I wake up drenched with sweat
I feel the sheets the blankets around me
with the tips of my fingers
only not wake him up not to wake him up
but I wake up instead and I start to cry
deafly dryly

***

one doesn't write poems in here nor love letters
we very seldom think of men
and when we do we send them
without any shame somewhere where it's warm and well
a woman passes by me
the shaven skin of her armpit
is like the back of a pig.
I button up my shirt
I've hastily gathered my things
and stuffed them in two plastic bags
now I'm waiting to leave.
my traces are a few imaginary stains
of blood and pus left on the imaginary bed-linen
and this brown beetle
that I pass from one palm to the other
it can't be more than a beetle
pulled out of the dream ... then why do I feel it
as if it's walking under my skin?

probabil sunt păduchi. de altfel de vreo zece
minute o urmăresc pe femeia din patul de alături
vorbeşte într-o limbă necunoscută
bolboroseşte
o văd lovindu-şi în mod repetat piciorul
cu o bucată de plastic să omoare
vreun gândac mă cuprinde un somn cleios
în sala de aşteptare clasa II gara de nord
aşteptând trenul spre medgidia
chiar în faţa ta o ţigancă grasă
îşi pune poalele-n cap
scoate din sex un peşte alb
îl întinde controlorului în loc de bilet
uite, maică, să ai cu ce-ţi plăti bărbatul
şi-ţi aruncă peştele în sutien
îţi face cu ochiul
mă trezesc leoarcă de sudoare
pipăi cearşafurile păturile din jurul meu
cu buricele degetelor
numai să nu-l trezesc să nu-l trezesc
dar mă trezesc eu şi încep să plâng
încet uscat

***

aici nu se scriu poezii nici scrisori de dragoste
foarte rar ne gândim la bărbaţi
şi când o facem îi trimitem
fără nici o jenă undeva unde e cald şi bine
o femeie trece pe lângă mine
pielea rasă a subraţului ei
e ca o spinare de porc.
îmi închei ultimul nasture al cămăşii
mi-am strâns repede lucrurile
şi le-am înghesuit în două sacoşe de plastic
acum aştept să plec.
urmele mele sunt câteva pete imaginare
de sânge şi puroi lăsate pe cearşaful imaginar
şi gândacul ăsta maroniu
pe care-l trec dintr-o palmă într-alta
nu poate fi mai mult decât un gândac
smuls din vis... atunci de ce îl simt
de parcă mi-ar umbla pe sub piele?

Letters to Nikos

what hides under the skin

we fix blades on the skin
where the skin is soft, where the veins are raw
sometimes we soak our fingers in blood
and stains—we leave on walls, on paper, on the chest of the one next to us
we feel no pain never
only the guts that we know to be gathered in warmth, sheltered
like twisted strings
make us sick
I know why you run your hand through your hair and pull
it happens when your scalp is like glass
tightens
and still let's be careful not to commit suicide
we can silently crunch our 'small
mechanisms of despair'

*

we run away from people we walk our eyes closed our lips sewn
it's our night here nobody frightens us anymore
let me put my face against your face blink so close to your cheek
to our home runs a white road

we understand we cry each other's tears
we love each other
I was watching you next to me. I was watching you tossing
running from one side to the other full with fear
like an animal
I'll scratch the walls with my nails
tear my skin strip by strip
the one lying under my skin will always be a stranger
keep away from me I can't talk to you.
all I wish for
is to take you in my arms and rock you.
but no.
at the end of this poem there is no end.

Scrisori către Nikos

ce se ascunde sub piele

ne fixăm lame pe piele
acolo unde pielea e moale, unde venele sunt crude
uneori ne înmuiem degetele în sânge
şi urme lăsăm pe pereţi, pe hârtie, pe pieptul celui de lângă noi
nu ne doare nimic niciodată
doar maţele pe care le ştim adunate la căldură, la adăpost
ca nişte sfori răsucite
ne fac greaţă
eu ştiu de ce îţi treci mâna prin păr şi tragi
se întâmplă când pielea ţi-e ca de sticlă
te strânge
şi totuşi să avem grijă să nu ne sinucidem
putem ronţăi liniştiţi la *micile* noastre
mecanisme ale disperării

*

noi fugim de oameni noi mergem cu ochii închişi cu buzele cusute
e noaptea noastră aici nu ne mai sperie nimeni
lasă-mă să-mi lipesc faţa de faţa ta să clipesc atât de aproape de obrazul tău
spre casa noastră e un drum alb

noi înţelegem noi plângem unul în locul celuilalt
noi ne iubim
te vedeam lângă mine. te priveam zbătându-te
fugind într-o parte şi-n alta plină de teamă
ca un animal
o să zgârii pereţii cu unghiile
o să-mi rup pielea fâşie cu fâşie
cel ce zace sub piele îmi va fi întotdeauna străin
ţine-te departe de mine eu nu îţi pot vorbi.
tot ce-mi doresc
este să te iau în braţe şi să te legăn.
dar nu.
la capătul acestui poem nu există nici un sfârşit.

*

I also hide in a house that's not mine
tempted by the open window
I head for it measure it it's tall
it's a baby there calling me
a baby with a yanked out eye

*

I enjoy sucking wet clothes
I press my mouth to them before squeezing them
fill my mouth—every cavity in my molars
with this water.
I strike the wall. I have a few favourite centimetres
there I strike the wall with the back of my finger.
dad will never again come drunk
will never crawl on his knees to the bedroom
with white foam in the corner of his lips my brother will never again yell to him
you're a loser a drunkard
nor will my mother ever again bark at night.
starting today we don't kill the beetles anymore
we'll give them names then we'll sew them in pillow cases.

*

this is my death

I am the bald girl my head full of bumps
the tongue inside me is alive again
I feel it rummaging every corner
it licks my stomach my liver my lungs
nothing escapes it and I want to vomit it

you understand, elena
I can't tell you more than this:
I entered my death year
nothing wears us out more than this impatience

*

şi eu mă ascund într-o casă care nu e a mea
mă tentează fereastra deschisă
mă îndrept spre ea o măsor e înaltă
acolo e un copil care mă cheamă
un copil cu un ochi scos

*

îmi place să sug rufele ude
îmi lipesc gura de ele înainte de a le stoarce
îmi umplu gura fiecare gaură din măsele
cu această apă.
mângâi peretele. am câţiva centimetri preferaţi
acolo mângâi peretele cu dosul degetului.
tata nu va mai veni niciodată beat
nu se va mai târî în genunchi spre dormitor
cu spumă albă în colţul buzelor frati-miu nu îi va mai urla
eşti un beţiv ratat
nici mama nu va mai lătra nopţile.
de azi nu mai omorâm gândacii
o să le dăm nume o să-i coasem în feţe de pernă.

*

asta e moartea mea

sunt fata cheală cu capul plin de cucuie
limba dinăuntrul meu e iar vie
o simt răscolind fiecare colţişor
îmi linge stomacul ficatul plămânii
nimic nu scapă şi vreau s-o vomit

tu înţelegi, elena
nu pot să îţi spun mai mult de atât:
am intrat în anul morţii
nimic nu ne osteneşte mai mult decât această nerăbdare

I pay attention only to the ants
scattered at our feet.
otherwise I can't hear anything. I know I must not look
keep everything of this day
the tumbled shirt
the length of the hairs in the beard the little stains of blood
on the face on the arms

from everywhere moths are flying
battering against our chests

*

elena comes every Saturday and cooks for us
elena holds her hair in white cloth
splits the bones of the chicken peels the potatoes
and tells us about the little gypsy girl who was running
through the rain squeezing her little nipple
and the blood gushed out. always the same story.
the food is tasty.

my yells thrust like birds
in a raw wall the yells of a baby with wire in its nose
the woman next to me covers my mouth
with both of her hands
she's beautiful wears a transparent dress
I see her long and yellow legs
wooden legs
one by one she puts on the faces of those I love
(in this order)
mum andreea irina miruna madi angela
I am the most beautiful woman in the world
my brain is a field covered with violets

in the bathtub near my white feet swollen with water—
a plastic bottle as big as I
a carcass then she comes again and I'm not afraid anymore
she's warm like my mum's belly

sunt atentă doar la furnicile
risipite la picioarele noastre.
altfel nu aud nimic. ştiu că trebuie să nu uit
să păstrez totul din această zi
cămaşa şifonată
lungimea firelor din barbă micile pete de sânge
de pe faţă de pe braţe

din toate părţile vin fluturi de molii
se izbesc de pieptul nostru

*

elena vine în fiecare sâmbătă şi ne face mâncare
elena îşi prinde părul în pânză albă
crapă oasele puiului curăţă cartofi
şi ne povesteşte de ţigăncuşa care alerga
prin ploaie strângându-şi sfârcul mic
şi sângele ţâşnea. mereu aceeaşi poveste.
mâncarea e gustoasă.

urletele mele se înfig ca nişte păsări
într-un zid crud urletele unui copil cu sârmă în nas
femeia de lângă mine îmi astupă gura
cu amândouă mâinile
e frumoasă are rochie transparentă
îi văd picioarele lungi şi galbene
picioare de lemn
poartă pe rând chipul celor pe care le iubesc
(în această ordine)
mama andreea irina miruna madi angela
sunt cea mai frumoasă femeie din lume
creierul meu e un câmp de violete

în cadă lângă picioarele mele albe umflate de apă
o sticlă de plastic cât mine de mare
o carcasă atunci vine iar ea şi nu îmi mai e frică
e caldă ca burta mamei

*

you wait for the water drop
to penetrate your clothes
and get to your skin
that's how long it takes to realize
that she also can be as warm
as mum's belly

*

in my feet grow the baby's little feet
in my hands its little hands
I'm a set of little clothes
when I'll have my baby
I'll bury it in the kitchen of my granddad's—
deep
thick floor I shall build above it

*

pack your baby's little hands
and send them to your best friend
rezia only stays next to you
stiff
driving pin needles
in her cheeks and chest
from time to time

*

aştepţi ca picătura de apă
să-ţi străbată hainele
şi să-ţi ajungă la piele
atât durează să îţi dai seama
că şi ea poate fi la fel de caldă
ca burta mamei

*

în picioarele mele cresc picioruşele copilului
în mâinile mele mânuţele lui
sunt un set de hăinuţe
când o să am copilul meu
o să-l îngrop în bucătărie la tataia
adânc
duşumea groasă o să bat deasupra lui

*

împachetează mânuţele copilului tău
şi trimite-i-le celui mai bun prieten
doar lângă tine stă rezia
ţeapănă
înfigându-şi din când în când
în obraji şi în piept
ace cu gămălie

a winter for my brother

i. prologue

mon amour, mon frère
I will build a winter for you
I press my chest against snow
and my chest is flat
and my femininity flies to the winds!
in the core of my heart a star grew
you can hug me like you hug a boy

you are my pain brother my death brother
not by birth not by mother not by father
we hold hands and holding hands
we walk in front of our grave
we are the morning children the evening children
the midnight children
where are our parents to let us know
who we are actually
and what the hell are we doing in this city
where everything we touch turns to hopeless bodies

*

I'm told all these
are the states of panic attack
instead of yelling kicking with your fists your feet
you are silent and tremble
it's like a calcium deficiency
like a collapse when everything around ooopens
and cloooses...
and you're nothing but
that numbness of the tongue before the vomit

o iarnă pentru fratele meu

prolog

mon amour, mon frère
o să zidesc o iarnă pentru tine
mă lipesc cu pieptul de zăpadă
şi pieptul meu e plat
şi feminitatea mea se spulberă ca un scrum!
în mijlocul inimii mele a crescut o stea
mă poţi îmbrăţişa ca pe un băiat

tu eşti fratele meu de durere de moarte
nu de naştere nu de mamă nu de tată
ne ţinem de mână şi ţinându-ne de mână
mergem în faţa gropii noastre
noi suntem copiii de dimineaţă copiii de seară
copiii din miezul nopţii
unde ne sunt părinţii să ne spună
cine suntem noi de fapt
şi ce naiba căutăm în acest oraş
unde tot ce atingem se preface în corpuri fără speranţe

*

mi se spune că toate astea
sunt stările atacului de panică
în loc să urli să loveşti cu pumnii cu picioarele
taci şi tremuri
e ca o cădere de calciu
ca o prăbuşire când totul în jur de deschideee
şi se închideee...
când tu nu eşti decât
acea amorţire a limbii de dinainte de vomă

ii. our daily sin

don't ask me anymore why I write
I write because I can't live
God is never here although He is everywhere
these poems of mine are prayers
sometimes when I pray I feel like swearing at God

*

again on the fear of not being loved
on the fear that only death loves. exactly those
who you love as well
I'm afraid of the blue-eyed man my teeth chatter with terror
the devil can also be a handsome blue-eyed man
the devil is this house after all doors have been locked
it's santa claus it's this jesus
who won't be born for you, anyhow, in ages of ages
o, jesus, he knows me
fuck off!
the devil is you is your flesh
that thrills at the approach of the brother-lover

*

there's nothing left in this place but
a white powder could be snow
could be my pulverized bones
we lost our names
every day we are others

I call you my brother
in front of my brother I tear off my clothes
in front of my brother I stand naked
my flesh scorches it has the torridness of the sun
but, oh, elena is one of God's maidens...

păcatul nostru, cel de toate zilele

nu mă mai întreba de ce scriu
scriu pentru că nu pot să trăiesc
dumnezeu nu e niciodată aici deşi e peste tot
poemele astea ale mele sunt rugăciuni
uneori când mă rog vreau să-l înjur pe dumnezeu

*

iar despre teama de a nu fi iubit
despre teama că numai moartea iubeşte. tocmai pe ăia
pe care-i iubeşti şi tu
mi-e frică de bărbatul cu ochi albaştri îmi clănţănesc dinţii de frică
diavolul poate fi şi un bărbat frumos cu ochi albaştri
diavolul este casa asta după ce se închid toate uşile
este moş crăciun este acest isus
care pentru tine oricum n-o să se nască în vecii-vecilor
o, jesus, he knows me
fuck off!
diavolul eşti tu e carnea ta
care se înfioară la apropierea fratelui-iubitului

*

în acest loc nu a rămas decât
o pulbere albă ar putea fi zăpadă
ar putea fi oasele mele sfărâmate
noi ne-am pierdut numele
în fiecare zi suntem alţii

te numesc fratele meu
în faţa fratelui meu îmi sfâşii veşmintele
în faţa fratelui meu rămân goală
carnea mea dogoreşte are fierbinţeala soarelui
dar, vai, elena e o fecioară a domnului...

now I open my palm look at my palm!
here is the seed of rust
that constantly deepens
I close my eyes when I close my eyes
I see my lover my brother
kissing the eyes and the mouth of a man
who's no longer my lover
nor my brother

*

again: *I write because I can't live*
this winter is just for the pig farmers
for those who love meat
the only meat I love
is that one I feel with my finger in wet mornings
the meat that hangs down like a cloth
after the knife avoided the bread and hit the same finger
I eat until I forget myself
until yogurt cheese and fruits come out of my nose
we can get drugged with food also
(I know, I read about this)
look at us closer: we all have wavering bellies
we get drugged with bread and pretzels—there're many of us
we are deaf we can't talk about this
about how it feels to be 20 years old
and convinced life is entirely shitty

only the cigarette smoke embraces me in this winter
it kisses my cheeks

acum îmi deschid palma priviţi-mi palma!
iată sâmburele de rugină
care se adânceşte mereu
îmi închid ochii când închid ochii
îl văd pe iubitul meu pe fratele meu
sărutând ochii şi gura unui bărbat
care nu mai este nici iubitul meu
nici fratele meu

*

din nou: *scriu pentru că nu pot să trăiesc*
iarna asta e doar pentru proprietarii de porci
pentru cei care iubesc carnea
singura carne pe care o iubesc eu
e aia pe care o pipăi cu degetul în dimineţile umede
e carnea care atârnă ca o cârpă
după ce cuţitul a ocolit pâinea şi a nimerit acelaşi deget
mănânc până uit de mine
până-mi ies pe nas iaurtul brânza fructele
putem să ne drogăm şi cu mâncare
(ştiu eu, am citit despre asta)
priviţi-ne mai bine: avem toţi burţi şovăitoare
ne drogăm cu pâine şi covrigi suntem mulţi
suntem muţi noi nu putem vorbi despre asta
despre cum e să ai douăjde ani
şi să fii convins că viaţa e de rahat

numai fumul ţigărilor mă îmbrăţişează în iarna asta
îmi sărută obrajii

iii. turquoise

my little toy, my little toy
mum was mumbling rocking a baby cloth child
on the path to the cemetery

how beautiful you are, my brother
your eyes green, wet
like mum's turquoise dress.
that gluey morning
dad was tearing off pages from the Bible
kindling them with the lighter
I was crying I was biting my lips
my mouth was full with warm foam—a little salted
I took my mum's side and sweet God's side

and mum who's tearing her dress
and mum who's tearing her chest
and mum who wanders through my nights
her chest all living flesh

you are beautiful my brother—I'd like to tell you this
my love words to reach you

*

every morning doves came to our window
that gluey morning I wished they pecked from me
from my small brown breasts
and for me to come to you afterwards crushing an orange in my fist
to come afterwards my hair cut really short boyishly
to tell you then my lover
here I am: I'm handsome

turcoaz

my little toy, my little toy
bolborosea mama legănând un copil de cârpe
în drum spre cimitir

cât de frumos eşti tu, fratele meu
ai ochi verzi, umezi
ca rochia turcoaz a mamei.
în dimineaţa aia cleioasă
tata smulgea pagini din biblie
le aprindea cu bricheta
eu plângeam eu îmi muşcam buzele
gura mea era plină de o spumă caldă puţin sărată
eu ţineam cu mama şi cu doamne-doamne

şi mama care-şi sfâşie rochia
şi mama care-şi sfâşie pieptul
şi mama care se plimbă prin nopţile mele
cu pieptul numai carne vie

tu eşti frumos fratele meu — aş vrea să-ţi spun asta
vorbele mele de iubire să ajungă la tine

*

în fiecare dimineaţă veneau porumbei la fereastra noastră
în dimineaţa aceea cleioasă mi-am dorit să ciugulească din mine
din sânii mei mici cafenii
să vin apoi la tine strivind în mână o portocală
să vin apoi cu părul tăiat scurt-scurt băieţeşte
să îţi spun atunci iubitul meu
iată-mă: sunt frumos

iv. epilogue

each time I take pity on you
you're there your skin stuck to my skin
our ribs meet

who is this man with his arms cut off? where does he come from?
when I wake up in the middle of the night
I see him at my bedside with chunked arms bleeding
at my bedside
his wounds are always so fresh
as if that very instant he left from under the knives

your face rummages the quiet of my days
when I take pity on me you're here next to me

they cut your hair shaved your beard
they left deep cuts in your cheeks
your hands are colder and colder
I entered the hospital yard like a slaughterhouse
you are my baby goat I came for you
you are my kid I came to put
your neck under the blade
I don't take pity on nobody I take pity on me

epilog

de fiecare dată când mi se face milă de mine
tu eşti acolo pielea ta este lipită de pielea mea
coastele noastre se întâlnesc

cine este acest bărbat cu braţele tăiate de unde vine el?
când mă trezesc în miez de noapte
îl văd la capul patului cu cioturile braţelor sângerând
rănile lui sunt mereu atât de proaspete
de parcă chiar atunci ar fi ieşit de sub cuţite

chipul tău îmi răscoleşte liniştea fiecărei zile
când mi se face milă de mine tu eşti aici lângă mine

ţi-au tăiat părul ţi-au ras barba
ţi-au lăsat tăieturi adânci în obraji
mâinile tale sunt tot mai reci
am intrat în curtea spitalului ca-ntr-un abator
eşti iedul meu am venit pentru tine
eşti iedul meu am venit să-ţi aşez
gâtul sub lamă
mie nu mi-e milă de nimeni mie mi-e milă de mine

RUXANDRA NOVAC

Ruxandra Novac was born in 1980 in Făgăraş and studied Romanian and French in the Literature Department, University of Bucharest.

She is part of Letters 2000 and Euridice literary circles.

Her books include *pedagogical poems* (Carmen underground series, 2002) and *ecograffiti. pedagogical poems. flags on towers* (Vinea, 2003). Currently, she is a postgraduate student at the University of Bucharest.

e-mail: runnna20@hotmail.com

RUXANDRA NOVAC

ecograffiti. pedagogical poems. flags on towers (2003)

***

And your gestures are sweat and your words—
solid blood And
they work with them
                                        bearings, spark plugs, screws
without knowing they're crocheting your life
                                        out of the neon lights of the city
        a wedding — corrugated and grotesque
But I know everything I've seen
how they unbury their dead every morning
from the red latrines of the city
and kiss them on the mouth
        with the wonder of the little girl who opens up a doll
        and sees its liver, its heart, its kidneys
        Because I live here
in the center of the disaster
and I've seen
I, antonin artaud,
my father and mother
and I myself

***

ecograffiti. Poeme pedagogice. Steaguri pe tunuri (2003)

***

iar gesturile tale sînt transpiraţie şi cuvintele tale
sînge solid şi
ei lucrează cu ele, rulmenţi, bujii, şuruburi
făr' să ştie croşetează din tuburile
de neon ale oraşului viaţa ta
o nuntă creponată şi grotescă
dar eu ştiu totul am văzut
cum îşi dezgroapă în fiecare dimineaţă morţii
din latrinele roşcate ale oraşului
şi îi sărută pe gură
cu uimirea fetiţei care desface o păpuşă
şi îi vede ficatul, inima, rinichii
fiindcă eu locuiesc aici
în mijlocul dezastrului
şi am văzut
eu, antonin artaud,
tatăl şi mama mea
şi eu însumi

***

what holds you stronger

To coil up in the middle of the room and yell for him to come and look for you
sniffing the floor and laughing dementedly

                                        dementedly

The healthy part and the ill one
the one everybody knows but nobody talks about
When I grew out of teenage I got well
                           and the further I grew out
                        the better I got
so that now I'm totally well
and I stay put expecting the moment
and I don't want to know what it's like anymore
                                 but how long it takes
like some time ago, when I tried experiments on myself
and I didn't want to know how it was like
                             but how long it took
like a patient gone crazy by the nurse's garter belt
like a child without toys.

But everything
                      everything will come to an end
when the elevator will take me to him
when his big and warty hand will stroke my forehead

***

indigo butterfly, with your belly open — golden,
butterfly of the skull — you, perhaps five years
                             ten at the most
                      — you, clotted
                           in euphoria and fear
experimenting on itself, hands stretched before it,
playing and spilling gas over itself
in exhibition halls and parks.
we haven't done anything
it can't be done more
         children of the third millennium
When peace is everywhere
our eyes will twinkle in
the centre of peace
like the flame of the welding lamp

ceea ce te leagă mai puternic
să te strîngi în mijlocul camerei şi să îi strigi să te caute
adulmecînd podeaua şi rîzînd dement, dement
partea sănătoasă şi cea bolnavă
pe care toţi o cunosc dar despre care nimeni nu vorbeşte
cînd am ieşit din adolescenţă m-am făcut bine
şi cu cît am ieşit mai mult cu atît m-am făcut mai bine
astfel încît acum sînt bine de tot
şi stau bine în aşteptarea momentului
şi nu mai vreau să ştiu cum e, ci cît durează
ca mai demult, cînd făceam experienţe pe mine
şi nu voiam să ştiu cum e, ci cît durează
ca un bolnav înnebunit de desuurile sorei medicale
ca un copil fără jucării.

dar totul, totul se va termina
cînd cu liftul voi ajunge la el
cînd mîna lui mare şi buboasă mă va mîngîia pe frunte

***

fluture indigo, cu burta deschisă aurie
fluture al craniului tu, poate cinci ani
cel mult zece tu, încleiat
în euforie şi spaimă
experimentînd pe el, cu mîinile înainte,
jucîndu-se şi stropindu-se cu benzină
prin expoziţii şi parcuri.

n-am făcut nimic
nu se poate mai mult
căci totul e făcut din nebunie
copii ai mileniului trei
cînd va fi peste tot pace
şi ochii noştri vor scînteia în
                              mijlocul păcii
albi ca flama lămpii de sudură

***

the Sunday — in which you don't talk anymore you just
        sing — in which the eyesight
        opens like after atropine
you find things easier that usually — in which
        nobody goes out in the city
you come back home with a bunch of field poppies and
you end up cutting off your fingers
one by one
like the last inhabitants
of a bloody, blossoming fortress

***

here we breathe in fear and we long only for a narrow
dark place Nobody
knows why
our open eyes
fix on receipts, plans, signals
large pieces of raw flesh
We only relax when the grown-ups laugh
when we put our shoes on the wrong way or when we drop our food
Here we all do this — since we were small

***

duminica în care nu mai vorbeşti doar
cînţi în care privirea
se deschide ca sub atropină
găseşti lucrurile mai uşor ca de obicei în care
nimeni nu iese în oraş te întorci
acasă cu un buchet de maci şi
sfîrşeşti prin a-ţi reteza degetele
unul cîte unul
ca ultimii locuitori
ai unei cetăţi sîngerînde, înfloritoare

***

aici respirăm cu frică şi ne dorim doar locuri strîmte
întunecoase nimeni
nu ştie de ce
ochii noştri deschişi
fixează chitanţe, planuri, semnale
bucăţi mari de carne crudă
ne liniştim doar cînd cei mari rîd
atunci cînd ne încălţăm greşit sau cînd ne scapă mîncarea
aici toţi facem asta de mici

like a small fence, like metallic lace

Seen in the bruised light of sunset, Bucharest seems
                                        a dead rat
where are our heroes, the great men of the past
those from super-productions, from the golden books
"I haven't got a chinese man's luck", ginsberg and lenin
trapped in the corridors of an eastern station, playful as gods
between dopes and ticket saleswomen,
how sinister could have been *time magazine* then?
how sinister the present intoxication?

In the raw light everything seems a movie for paedophiles
Where is our-bird-like-soul
where is our perfect health
our perfect noise
where are the "ecstatic vibrations"
where is marijuana and the dreams
the delirium and the bad luck in small, sweaty rooms
the revolt — obsolete like a movie about peasants.

My sad self crochets a sweater
                    from the long hair of the sixties' self
my sad self doesn't want to be with the gang
my sad self sinks in its field with crows —
                    red like the flags they didn't see
or they did see them but said they were strawberries.
My sad self strokes the walls of the room I am in
and feels something like electric charge.
Oh, we've decayed in a few years and not even this we can't say
                    exactly and without feeling the least bit ashamed.
Our hand already shakes on the door handle
this we really don't want to know.

When we drink in the evening — at night we can't sleep
the tv is still on
the program ended long ago.
My sad self licks the screen like in a video clip
and for one instant it feels more self-assured
colours mix on the retina
wires mix on the retina

ca într-un gărduleţ, ca într-o dantelă metalică

Privit în lumina vînătă a asfinţitului Bucureştiul pare
                              Un şobolan mort
unde sînt eroii noştri, marii bărbaţi ai trecutului
cei din superproducţii, din cărţile de aur
"n-am norocul unui chinez", ginsberg şi lenin
blocaţi pe culoarele unei gări estice, jucăuşi precum zeii
între drogaţi şi vînzătoarele de bilete
cît de sinistru putea fi atunci time magazine?
cît de sinistră intoxicarea de acum?

În lumina crudă totul pare un film pentru pedofili
unde e sufletul-nostru-ca-o-pasăre
unde e sănătatea noastră perfectă
gălăgia noastră perfectă
unde sînt "extaticele vibraţii"
unde e marijuana şi visele
delirul şi nenorocul din camere mici, asudate
revolta învechită ca un film cu ţărani

Sinele meu trist croşetează un pulover
                      din părul lung al sinelui anilor şaizeci
Sinele meu trist nu vrea să fie cu gaşca
Sinele meu trist se scufundă în cîmpul lui cu ciori
                      roşii ca steagurile pe care ei nu le-au văzut
Sau le-au văzut şi au zis că sînt căpşuni.
Sinele meu trist pipăie pereţii camerei în care stau
şi simte ceva ca un curent electric.
Oh, am decăzut în cîţiva ani şi nici asta nu putem spune
                      cu exactitate şi fără să ne fie puţin ruşine.
Mîna ne tremură deja pe clanţă şi ce va fi mai încolo
asta chiar că nu vrem să ştim.

Cînd bem seara noaptea nu putem dormi
televizorul merge în continuare
programul s-a terminat de mult
Sinele meu trist linge ecranul ca într-un videoclip
şi o clipă se simte mai sigur pe sine
culorile se amestecă pe retină
sîrmele se amestecă pe retină

like a small fence
like metallic lace.
I don't want anything from this noise anymore
I don't even want to wait for I don't know what
I don't want to live thirty years
and here I don't want to live at all anymore
I want pornography and hygiene
in the middle of a nuclear desert.
And I want money and acid stickers
I want a gas station in a field or a smugglers' bar
I want cvt and gc and db to die
as much as I once wanted a tape recorder.
I actually want money.
And I want money. And I want money.

Slowly the rooms fills with water.
Slowly it becomes a living swamp.
Slowly my sad self crawls towards the screen
And coils up in there like in a living hole.
Among lamps and circuits like in a living hole.
It opens in there even sadder than an elephant cemetery
Sadder than a skeleton of a carbonized engine
Like a cat sternum on red argil, in the sun.

Slowly, hands come together. The night lifts us
In the air like a huge, carnivorous spoon.

In the East everything is fine
in the West everything is fine
in my left hand everything is fine
in my right hand everything is fine
My sad self sees that everything is fine
that death is actually a broken car
thrown in the car cemetery
And that life itself is also a broken car
thrown in the car cemetery.

ca într-un gărduleţ
ca într-o dantelă metalică.
Nu mai vreau nimic din gălăgia asta
Nu mai vreau nici să aştept nu ştiu ce
nu vreau să trăiesc treizeci de ani
iar aici nu mai prea vreau să trăiesc deloc
vreau pornografie şi igienă
în mijlocul unui deşert nuclear.
Şi vreau bani şi abţibilduri lisergice
Vreau o benzinărie în cîmp sau un bar de contrabandişti.
Vreau să moară cvt şi gc şi db
la fel de mult cum voiam cîndva casetofon.
Vreau de fapt bani.
Şi vreau bani. Şi vreau bani.

Încet camera se umple cu apă.
Încet ea devine o mlaştină vie.
Încet sinele meu trist se tîrăşte spre ecran
şi se cuibăreşte acolo ca într-o gaură vie.
Între lămpi şi circuite ca într-o gaură vie.
Se deschide acolo mai trist ca un cimitir de elefanţi
Mai trist ca un schelet de locomotivă carbonizată
ca un stern de pisică pe argila roşie, în soare.

Încet mîinile se adună. Noaptea ne ridică
în aer ca o lingură imensă, carnivoră.

În est totul e bine
în vest totul e bine
în mîna mea stîngă totul e bine
în mîna mea dreaptă totul e bine
Sinele meu trist vede că totul e bine
Că moartea e de fapt o maşină stricată
aruncată la cimitirul de maşini
Şi că viaţa e şi ea o maşină stricată
aruncată la cimitirul de maşini

Bucharest opens like a huge syphilitic flower
and I know that nothing, nothing can any longer prevent the disaster
of the rags of my twenty-three-year-old mind
Neither the holiness of Tanger, nor the narcosis, nor the butterflies
groping their way in slaughterhouses, terrifying the workers.
None of all these
Neither the training, nor the small churches, nor the sex of the city
raping the night
nothing

Only the silence of a drowned dog
floating down the river, in the sun

***

in my body there is a place where they come on motorbikes and a place
to attract insects and in
the left arm — a place to carry out sacrifices
the skin explodes sometimes like in a city
a bomb after war — and then they come
and camouflage the places with wool and —
because I wanted to learn sometimes
they do it wrong and use something else — sometimes artificial
snow and — because I wanted to
learn they brought my pills and I swallowed them and
slowly they all mixed up inside me

***

and behave yourself
and behave yourself
don't torture people and animals
in the end you'll find a pair of scissors and an elevator and you'll
fly with it higher than iuri gagarin

Bucureştiul se deschide ca o uriaşă floare sifilitică
şi ştiu că nimic, nimic nu mai poate opri dezastrul
zdrenţelor minţii mele de douăzeci şi trei de ani
Nu sfinţenia Tangerului, nici narcoza, nici fluturii
orbecăind prin abatoare, îngrozind lucrătorii.
Nimic din toate acestea
nici dresajul, nici bisericuţele, nici sexul oraşului
violînd noaptea
nimic

doar liniştea unui cîine înecat
plutind în jos pe rîu, în soare

***

în corpul meu e un loc în care vin cu motoretele şi un loc
pentru atras insectele iar în
mîna stîngă un loc în care se fac sacrificiile acolo
pielea explodează uneori ca într-un oraş
după război cîte o mină şi ei vin apoi
şi astupă locurile cu lînă şi
pentru că am vrut să învăţ uneori
greşesc şi pun altceva uneori zăpadă
artificială şi pentru că am vrut să
învăţ mi-au adus tabele le-am înghiţit şi
încet s-au amestecat toate în mine

***

şi să nu fi rău
şi să nu fi rău
să nu chinui oamenii şi animalele
la sfîrşit vei găsi o foarfecă şi un lift şi vei
zbura cu el mai sus decît iuri gagarin

ecograffiti

we are the workers and our hands are building the world
we are the blessed of this world — don't you know that
we are the blessed of this world we are hungry we know
we know everything our heart gathers everything gathers
your big hearts gathers the sidewalks the blocks of flats
the flowers the birds the butterflies
all are going to bed
in our big heart

like un cocainoman triste
le siècle fanatique does its number — we
feel its head with our fingers smelling of DTT
we are the blessed of this world — don't you know
that we are the blessed of this world — we hang heavily
at evening like flowers among
                            these electrical street lights
                                        with dead men's heads

***

and we wait here among the cold edges in long
                                        winter evenings
and very rarely very rarely inside the raffia sacks something
moves our arms our feet

again it's terribly cold we're fucked
in this room with walls covered in sweat
yes — they put in our heads all sorts of... solidarity...
                                        whatever...

then like snails they circle among them
like you kiss someone and you don't like it.

(until our sternum turns fluorescent

until our skin explodes and we laugh and scream and

the world falls to pieces before us)

ecograffiti

noi sîntem muncitorii şi mîinile noastre clădesc lumea
noi sîntem fericiţii lumii acesteia nu ştiţi că
sîntem fericiţii lumii acesteia ne e foame noi ştim
                  ştim totul inima noastră le adună pe toate
adună inimile voastre mari adună trotuarele blocurile
florile păsările fluturii
toate merg la culcare
în inima noastră mare

ca un cocainoman trist
le siècle fanatique îşi face numărul noi
îi pipăim capul cu degetele noastre mirosind
a DTT şi ghicim totul
                totul
noi sîntem fericiţii lumii acesteia nu ştiţi
că sîntem fericiţii lumii acesteia atîrnăm greu
seara ca florile
         printre stîlpii aceştia electrici
                  cu capete de mort

***

şi noi stăm aici între muchiile reci în seri lungi
             de iarnă
şi foarte rar foarte rar din sacul de rafie ceva
ne mişcă mîinile picioarele

din nou e foarte frig ne ducem dracului
în camera asta cu pereţii acoperiţi cu sudoare
— da, ne bagă în cap tot felul de... solidaritate...
              în fine...

apoi ca melcii se învîrtesc printre ele
cum te săruţi cu cineva şi nu-ţi place.

(pînă cînd sternul nostru devine fosforescent

pînă cînd pielea explodează şi rîdem şi strigăm

şi lumea cade în bucăţi în faţa noastră)

we the small wooden horses the plastic dolls
we dear we
we who have —
and who will have — again
formalin smells nice — out of a smile

solidarity is born

we laugh and scream

the noise falls spiralling

***

fear gathered us into a single one —
fear of the earth dog, of syringes,
         of those who make us
                         quit smoking
fear of lobotomy, fear of apoplexy
of mister accountant,
         not to croak before thirty
the terrible fear of those who protect us
fear of the bird-man,
         fear of bob from twin peaks.

fear, the woman with red hair, with red arms,
         with red beard with
high heels with lycra stockings,
rubbing against the zipper of your jeans,
         gently putting her hand through my hair —
the dead living spider that comes out of me

fear gathered us into a single one —
along the nails
egg with nails
myrtle with fleshy nails
you walk beyond the womb of our days
                  the flawless rictus
you are the stum flowing out of the room's ankle
and the little death chattering its teeth at the window.

***

noi căluţii de lemn păpuşile de plastic
noi dragii de noi
noi care am
şi care vom mai
formolul miroase frumos dintr-un zîmbet
      solidaritatea se naşte

noi rîdem şi strigăm
     zgomotul cade spiralat

***

spaima ne-a adunat într-unul singur
spaima de căţelul pămîntului de seringi
de cei ce ne obligă să ne lăsăm
     de fumat
spaima de lobotomie spaima de damblagire
de domnul contabil
de a nu crăpa decît după treizeci de ani
spaima cumplită de cei care ne ocrotesc
spaima de omul-pasăre
spaima de bob din twin peaks

spaima femeia înaltă cu părul roşu cu mîinile roşii
     cu barba roşie cu
tocuri înalte cu ciorapi lycra
frecîndu-se de fermoarul blugilor tăi
     trecîndu-mi uşor mîna prin păr
păianjenul viu mort care iese din mine

spaima ne-a adunat într-unul singur
de-a lungul unghiilor
ou cu unghii
mirt cu unghii cărnoase
tu mergi dincolo de pîntecul zilelor noastre de
     rictusul fără greşeală
tu eşti mustul care curge din glezna odăii
şi micuţa moarte care clănţăne la fereastră

***

and the other one tells you to live like in a permanent alarm-state or
like from one day to the next not to enter any schemes then
he stretches his hand for the bottle of rasputin vodka he drinks passes it
over to me he tells the story
with swans other stories then about the places where
animals mate
           about the indefinite charm
of falling iggy joy to live and we
are travelling on the carpet
          like that guy from one thousand and one nights
we are getting higher and we are travelling
through the air of our eastern country
          of our agrarian country we smoke
deluxe cigarettes — somewhere in the chest
rises the joy
brought by the deluxe cigarettes we get it out immediately
with our polished nails

***

      all of these
only milk and honey
        oh, all of these are waiting for you
            my soul, just for you they are waiting

I have seen a crowd of people
        rejoicing laughing living
I have seen a crowd of people
        swept away by a flood of piss
I learnt. I know all.
        And what I know sticks on me
like a poorly done tattoo, or like a skin disease.

and only the glory of the heart
over the heaps of fat matter
over the guts
of their animal.
only the glory of the heart.

iar celălalt spune să trăieşti aşa ca într-o
alarmă continuă sau
aşa de pe o zi pe alta să nu te bagi în scheme apoi
întinde mîna după sticla de rasputin bea mi-o
pasează şi mie spune povestea
cu lebedele alte poveşti apoi despre locurile unde
animalele se împerechează despre
farmecul de nedesluşit al căderii
iggy plăcere-pentru-viaţă şi noi
călătorim cu covorul
ca ăla din o mie şi una de nopţi
ne înălţăm şi călătorim
prin aerul ţării noastre estice
al ţării noastre agrare fumăm
ţigări de lux undeva în coşul pieptului
răsare bucuria
adusă de ţigările de lux o scoatem imediat
cu unghiile noastre ojate

***

      toate acestea
numai lapte şi miere
      oh, toate acestea te aşteaptă
         sufletul meu, numai pe tine te aşteaptă

am văzut o mulţime de oameni
      bucurîndu-se rîzînd trăind
am văzut o mulţime de oameni
      măturaţi de un şuvoi de pişat
am învăţat. ştiu totul
      iar ceea ce ştiu se lipeşte de mine
ca un tatuaj prost făcut, sau ca o boală de piele

şi doar gloria inimii
peste mormanele de materie grasă
peste măruntaiele şi intestinele
animalului lor
doar gloria inimii

our clean bodies — they touch them
and write metaphors on them.
but love we'll return
we'll take the front position
we'll be fucking mean
we'll sing for the third millennium

and we'll feast at their big table
on their big sweet flesh.

***

but the future and the applause of the proletarian
will not enchant us anymore. It's gone.
On the scarlet brick-wall he was coming
urine was drawing
the petty forms of our lives

(at twenty it starts, look, to lose colour
to wear at the edges)

we are now on the terrace in the neighbourhood we chat
we are our own masters
of the crows of flocks and of the rich lands.
The stories we are told
we receive them as the wing flaps of a big butterfly.
And we wait. We chat at the argentin bar.
We sink our arms up to the shoulders
into the nacreous swarm of a future life

corpurile noastre curate ei le ating
şi scriu pe ele metafore
dar vom veni înapoi
vom trece în faţă
vom fi ai dracului
vom cînta pentru mileniul trei

şi ne vom ospăta la masa lor mare
din carnea lor mare şi dulce

***

dar viitorul şi aplauzele proletariatului
nu ne vor mai încînta. S-a dus.
pe zidul de cărămidă stacojie el venea
urina se desenau
astfel formele meschine ale vieţii noastre

(la douăzeci de ani începe iată să se decoloreze
să se tocească pe margini)

sîntem acum pe terasă în cartier stăm de vorbă
sîntem proprii noştri stăpîni
ai grămezilor de turme şi ai pămînturilor bogate.
Poveştile ce ni se spun
le primim ca pe nişte adieri ale unui fluture mare
aşteptăm
stăm de vorbă la argentin
ne cufundăm pînă la umeri mîinile
în sputa sidefie a unei vieţi viitoare

adrian urmanov

adrian urmanov (the pen-name of Leonard-Daniel Aldea) was born in 1979 in Ploiesti and studied International Relationships at the Academy of Economic Studies in Bucharest, and Russian Language and Civilisation at the Pushkin Institute in Moscow.

He is part of the Caragiale Workshop and Euridice literary circle.

His books include *cannonical flesh* (Pontica, 2001) which won the Bucharest Writers' Association debut award, *utilitarian poems* (Pontica, 2003), *skeleton* (Pontica, 2004) and *cheap literature* (Vinea, 2005).

He was recently a postgraduate student in the Writing Programme at the University of Warwick.

e-mail: adiurmanov@yahoo.com

ADRIAN URMANOV

utilitarian poems (2003)

utilitarian poems

intro

GOOD MORNING
i try to think of a way to get started
i don't know if I can make this / i really want us to succeed
i linger here i try to moisten your skin

you know how it is: you go to buy some bread
holding a plastic bag in your hand
or: you look outside the window and: can't find
one single thought inside you
believable enough to let yourself go with it
—just as you're getting full of emptiness then
i'm empty right now
with you here somewhere around me
and i can't entirely spread my brain on this page

because here we borrow attentions between ourselves
we rustle against each other
so that we can't hear
we both know: around us all around
in all directions from here to there and
from there—over there
something is being told: all around us something is being told

poeme utilitare (2003)

poeme utilitare

intro

BUNĂ DIMINEAŢA
mă gândesc cum să încep
nu ştiu dacă am să reuşesc / ţin groaznic de mult să reuşesc
eu stau aici şi încerc să vă umezesc pielea

ştii sigur cum e să mergi să cumperi pâine
şi ai în mână o sacoşă de plastic
sau să te uiţi pe fereastră şi să nu mai găseşti
nici un gând în tine
suficient de credibil să te laşi în el
— aşa cum te umpli de gol tu atunci
aşa sunt gol şi eu acum
cu tine aici undeva lângă mine
şi nu-mi pot pune mintea aici pe pagina asta

pentru că aici noi ne împrumutăm atenţii foşnim unul de altul
ca să nu auzim să nu auzim nu auzim
ştiţi în jurul nostru de jur împrejur
în toate direcţiile de aici încolo şi
de acolo acolo
se spune ceva de jur împrejur se spune ceva

love poem
(I gently rub against your skin / when my blood freezes at night with fright)

it doesn't make sense anymore if i don't repeat to myself again and again
that i breathe
wrapped in a large memory
larger than all my actions
everything must be so warm, andrei
i look at my palms and
the thought comes: i don't even know what i touch
who holds my hand
you know it's like i say
because i speak to you from down here
beside you
and you know i speak out of fright we're all just as frightened
in the same noise we make like beetles
thousands of beetles that will not stay put
meanwhile i remain here next to you i check us
from time to time
i gently rub against your skin:
when my blood freezes at night with fright

love poem
(I'm here in front of you / my flaws near your flaws)

between us right here i tell you: there is
a space made of silence i can't show you any image
i wish i could put my arm inside
take something out of there to show you
the only way
to take you there:

be in the street
sit down by the street light put your head on your knees
listen
i tell you it's worth keeping your ears silent
and i'm here / in front of you
my flaws near your flaws
and i tell you

poem de dragoste
(mă frec uşor de pielea ta când îmi îngheaţă sângele noaptea de frică)

nu mai văd nici un sens dacă nu-mi repet iară şi iară
că respir înfăşurat într-o
memorie mare mai mare decât toate faptele mele
totul trebuie să fie atât de cald andrei
îmi privesc uneori palmele şi îmi vine gândul că
nici măcar nu ştiu ce ating
cine mă ţine de mână
tu ştii că e aşa cum spun eu
pentru că îţi vorbesc de aici de jos de lângă tine
şi ştii că-ţi vorbesc de frică tuturor ne e la fel de frică
în acelaşi zgomot pe care-l facem ca nişte gândaci
mii de gândaci care nu vor
să stea locului
între timp eu rămân aici lângă tine ne verific din vreme în vreme
mă frec uşor de pielea ta
când îmi îngheaţă sângele noaptea de frică

poem de dragoste
(sunt aici în faţa ta bolile mele lângă bolile tale)

între noi chiar aici îţi spun este
un spaţiu făcut din linişte nu-ţi pot arăta nici o imagine
aş vrea să bag mâna
să scot ceva să-ţi arăt de acolo
singurul mod
să te duc acolo:

fii pe stradă
te aşezi lângă stâlp îţi sprijini capul pe genunchi
ascultă
îţi spun îţi spun merită să îţi tacă urechile
şi sunt aici
în faţa ta
bolile mele lângă bolile tale
şi îţi spun

utilitarian poem
(above you and me a big hump of silence)

stop / stay put for a while
here next to me
to catch a kitchen noise
a crowd of hearts feeding together
a billion of red beetles swarming
i say these things easily like i'm brushing my teeth but
i bend over to cry in your eyes at night
so that you'll want
to sit next to me for a while
this is all / above you and me:
a big hump of silence

i tell you: you must touch it

love poem
(I'm not strong either: circle me / prowl me check me up)

i don't know how to catch you: do you think i'll catch you
if i hold your hand?
i can stay in front of you: look in the centre of my eye
i'll make the thought come to your mind:
what is around us
what is around me and you right now / in this very moment when
you read this line/
and i'll cry
you can move: once i start crying—start moving
walk all around me
watch me from underneath from above
push me with your finger
circle around me
you can take a tear on the tip of your finger
and taste it—see i'm for real
while i'm crying you can touch me
i'm not strong either: circle me
check me up

poem utilitar
(peste mine şi tine o cocoaşă mare de linişte)

opreşte-te o vreme
aici lângă mine
să prindem un zgomot depărtat de bucătărie
adunătură de inimi care se hrănesc împreună
zic astea cum m-aş spăla pe dinţi dar
mă aplec să plâng în ochii tăi noaptea
ca să vrei
să te aşezi o vreme lângă mine
asta e tot / peste mine şi tine
o cocoaşă mare de linişte
îţi spun
trebuie s-o atingi

poem de dragoste
(nu sunt nici eu puternic dă-mi târcoale verifică-mă)

nu ştiu cum să te prind: crezi că te prind
dacă îţi ţin mâna? pot să-ţi ţin mâna
pot să stau în faţa ta să te uiţi în centrul ochiului meu
să mă gândesc ce este împrejurul nostru
ce este împrejurul meu şi al tău chiar acum în clipa asta când
citeşti rândul ăsta
şi să plâng
poţi să te mişti odată ce încep să plâng mişcă-te
învârteşte-te împrejurul meu
lasă-te pe vine priveşte-mă de dedesubt de deasupra
împinge-mă cu degetul roteşte-te de jur împrejurul meu
poţi să iei o lacrimă pe buricul degetului
să o guşti să vezi că sunt pe bune
cât plâng
poţi să mă atingi
nu sunt nici eu puternic dă-mi târcoale verifică-mă

utilitarian poem
(now a glowing fingerprint is seen I see a fingerprint now)

i'm terrified it doesn't get even more direct
even more immediate
i shudder visibly i'm so disappointed with myself
with what i can do for you
surely there's more to be done
don't you feel like there's more to be done?
to succeed somehow to connect to each other
like a plug in a socket
do you think it would be more
if i left the print of my thumb on this page
down in the left corner
i touch it right now
(before this i gently blew on the tip of my finger
until it steamed a little
now a glowing fingerprint can be seen) i see a fingerprint now
you touch it too: down the page in the right corner
do you think it's better? do you feel something more?
i'm left with the tip of my thumb a little wet
perhaps if you moisten your own finger a bit
try to wet it with a little saliva
is it better this way? do you feel it's more?

poem utilitar
(acum se vede o urmă lucioasă eu văd o urmă acum)

mă îngrozesc că nu se poate şi mai direct
şi mai de tot
tremur puternic sunt atât de nemulţumit de mine
de ce pot face pentru tine
pentru că sigur se poate şi mai mult
tu nu simţi că se poate şi mai mult?
să reuşim cumva să ne conectăm unul la altul
ca un ştecher în priză
crezi că ar fi ceva mai mult
să-mi las amprenta degetului mare pe pagina asta
jos în colţul drept
o ating acum
înainte am suflat uşor peste buricul degetului până s-a aburit puţin
acum se vede o urmă lucioasă eu văd o urmă acum
atinge şi tu: în dreapta jos
crezi că e mai bine? simţi ceva în plus?
mi-a rămas puţin umed
buricul degetului
poate dacă ţi-l umezeşti şi tu puţin
încearcă să-l uzi cu puţină salivă
e mai bine aşa? simţi că e mai mult?

153

poetical improvisations (club "a" and club "le nnoir", bucharest)

improvisation

i've been in front of you for some time now
you already can say some things about me:
i have my own cancer as well: i have my own hunger in my sex
we're almost the same
this you don't want to believe: fine then don't—
just wait for a while in silence: listen to your stomach
(now your heart's growing
now your heart's munching light)
when you die you don't reduce to pulp at once
late evening when you enter the shower—during the day
lint has gathered in your navel
(now your heart's munching sweet liquid)
push inside with your finger
it's ropy—

so is mine

improvisation

that's where they eat you from
that's where you start rotting blue
at times you've waited even for ten minutes for the tram
in ten minutes eight generations of worms die
in ten minutes 0.3 millimetres of skin rots
it can be the skin on your face the sacks under your eyes
(now you're praying—
now
your heart is munching)

improvizaţii poetice (club "a" şi club "le nnoir", bucureşti)

improvizaţie

stau de ceva timp înaintea ta
deja poţi spune câte ceva despre mine:
am şi eu bolile mele am şi eu cancerul meu suntem aproape la fel
asta nu vrei să o crezi atunci nu o crede
mă sperie uşurinţa cu care zâmbeşti
mă înspăimântă cât de orb eşti
stai o vreme liniştit ascultă-ţi stomacul
când mori nu te faci terci de la început
seara când intri la duş se strâng de peste zi scame în gaura buricului
împinge cu degetul înăuntru
e aţos
şi la mine la fel

improvizaţie

de acolo te mănâncă de acolo începi
putrezeşti albastru
ai stat uneori şi zece minute la troleu
în zece minute mor două generaţii de viermi
în zece minute putrezesc 0,1 milimetri de piele
poate fi pielea feţei pungile de sub ochi
acum te rogi
acum—
inima ta freamătă

improvisation

when you think of me
picture me in the armchair i watch tv—i pretend i'm watching tv
(i cross my mouth with my tongue)—i think of you
what are you doing now
tomorrow morning can be a right moment
it can be tomorrow—from nine o'clock *(cross with my tongue)*
or sooner: at night your heart bursts
a blood vessel in the brain
you've got your hands in your pockets: the blood clots and
starts gathering—
a small bag of liquid in the brain
(turn us to infants / make us luminous) a small bag in your brain
as a grain of dirt under your nail
in the armchair: i shudder in my armchair: i shudder with the armchair itself
you take one more step you're at the crossing lights
it swells—you're pulp
the liquid inside the eyes is the first to start stinking

improvisation

you go out for a beer—they're right behind you
they watch you: you swallow you laugh
you're already theirs
you're already wet
(death's tongue over your face / death's tongue over your skull)
it's between them i must
pull you out from
—first:
you must get your own cancer
you must piss on yourself out of fear
out of terror: in front of your mates in front of your girlfriend
in front of me
you must piss on yourself out of fear in front of me and i'll
kiss your heart
cry in your eyes with love

improvizaţie

când te gândeşti la mine
să mă vezi în fotoliu mă uit la tv mă prefac că mă uit la tv
cruce cu limba mă gândesc la tine
ce faci acum
mâine dimineaţă poate fi un moment bun
mâine poate fi de la ora nouă cruce cu limba
sau mai devreme în staţia troleului
te calcă unul cu maşina
acela poate fi un sfârşit sau noaptea îţi plesneşte inima
un vas de sânge pe creier
ai mâinile în buzunar sângele se blochează şi începe să se strângă
o punguţă de lichid în creier
fă-ne prunci fă-ne luminoşi o punguţă cât un bob de mizerie de sub unghii
în fotoliu tremur în fotoliu mă zgâlţâi cu tot cu fotoliu
faci un pas eşti la semafor
se umflă eşti terci
lichidul din ochi e primul care se-mpute

improvizaţie

mergi la o bere şi ei stau în spatele tău
te văd plăteşti râzi
eşti deja al lor eşti deja unul dintre ei
dintre ei trebuie să te scot eu
trebuie să-ţi arăt mai întâi cum eşti de fapt
trebuie să-ţi fie frică
să te scapi pe tine de frică
de groază în faţa prietenilor în faţa iubitei în faţa mea
să te scapi pe tine de frică înaintea mea şi eu am să-ţi sărut picioarele
şi am să-ţi plâng în ochi de iubire

improvisation

i put all my trust in the word that will come out of here
the word that's in here
well hidden
this is not a poem this is not a text
these are real words / words embrace a skeleton
rays embrace a white skeleton
that word that will slap your face
that skeleton that spirals into your chest
like the bite of a beast
that word that will sicken you for all your time
and will bring you next to me your flaws near my flaws
and we'll be together
alone as death: luminous skeletons in front of love

improvisation

this is not a text these are not images this is
not me
this is a mechanism
a white skeleton—sharp bones screw inside you
and i'm telling tell you:
i want to tell you i must tell you
this is not a poem / i am not a poet
i really have something to tell you

i tell you what to do
to breathe the right way—
do what i tell you

improvizaţie

îmi pun toată încrederea în cuvântul care va ieşi de aici
cuvântul care este aici
este bine ascuns
acesta nu este un text
acestea sunt vorbe vorbe îmbrăţişează un cuvânt
acel cuvânt care te va lovi peste faţă
ca muşcătura unei fiare
acel cuvânt care te va îmbolnăvi pentru toată vremea ta
şi te va aduce lângă mine bolile tale lângă bolile mele
mizeriile tale lângă mizeriile mele
şi o să fim împreună
singuri ca moartea înaintea fiarei

improvizaţie

acesta nu este un text acestea nu sunt imagini acesta
nu sunt eu
acesta este un mecanism
un schelet alb—oase ascuţite se înşurubă în tine
şi îţi spun:
vreau să-ţi spun trebuie să-ţi spun
acesta nu este un poem / eu nu sunt poet
eu chiar am ceva să îţi spun

eu îţi spun cum să faci
ca să respiri corect—
fă cum îţi spun

skeleton (2004)

leon's private coronations

I.

IT DID PASS MY MIND TO JUST
fuck you all
and let him simply walk down the street any street
until he finds the right place to cut himself into pieces and
bury them one by one

LEON RELIVES THE SAME DAY
from sunrise till night one thousand times
with the same lusts and the same expectations
/
until each of his movements becomes a gesture of that day
and every gesture is shown
on my skin, like a raw imprint

EVERY MORNING I TAKE A SHOWER
i soap his chest his stomach i make these gestures
until they learn how to get done by themselves
/
eventually morning
becomes a gesture of this day
a gesture the day chooses to make
again and again with almost no variation while i

AM TRAPPED BY THE BEAUTY
of these who pass me by in the street
reflecting light on their skin
/
and my feet tremble with fear
and the pavement throbs underneath like a tongue
leading me straight in the mouth
of a white death

schelet (2004)

încoronările lui leon

I.

ÎNTR-ADEVĂR, MI-A DAT PRIN CAP
pur şi simplu să le dau dracu pe toate
şi să-l las în plata lui să se ducă pe o stradă în jos orice stradă
pân-o să ajungă la un loc potrivit să se taie-n bucăţi şi
să le-ngroape una câte una

LEON RETRĂIEŞTE ACEEAŞI ZI
de la răsărit până în noapte de o mie de ori
cu aceleaşi pofte şi aşteptări
/
până când fiecare din mişcările lui ajunge un gest al zilei aceleia
şi fiecare gest se vede
pe pielea mea, ca o amprentă în carne vie

ÎN FIECARE DIMINEAŢĂ FAC DUŞ
îi săpunesc pieptul stomacul fac gesturile astea
până când învaţă să se facă singure
/
într-un final dimineaţa
devine un gest al zilei
un gest pe care ziua asta alege să îl facă
iar şi iar fără aproape nici o variaţie în timp ce eu

SUNT PRINS ÎN FRUMUSEŢEA
acestora care mă depăşesc pe stradă
reflectând lumina pe piele
/
şi îmi tremură picioarele de frică
şi trotuarul zvâcneşte sub tălpi ca o limbă
ce mă aruncă direct
în gura unei morţi albe

II.

DISCREETLY, I HEAD TOWARDS A TIME
when he no longer touches my face
nor my gums nor my palate,
when he gets used to the joy of walking
down a street any street with his eyes closed
/
when my soles will just feel the pulse in the pavement
and i will follow
with the certainty that wherever we get
there'll be someone to cut him into pieces and throw them
one by one
in a white river

THIS IS A TIME OF TRAINING FOR DEATH
and learning the innumerable ways to brighten
these useless delays
/
until everything is but one big body
a place crammed with gentle creatures
all sculpted in light

IT FEELS GOOD SITTING HERE
in a shelter knowing that outside
all those creatures are on the look out for me
/
i'm not saying it's a beautiful day—
just one of my small coronations

II.

MĂ ÎNDREPT CU DISCREŢIE CĂTRE UN TIMP
în care leon nu-mi va mai atinge faţa
nici gingiile nici cerul gurii
când se va obişnui cu bucuria de a porni
pe o stradă în jos orice stradă cu ochii închişi
/

cănd eu o să pipăi cu tălpile pulsul din caldarâm
şi-l voi urma
cu siguranţa că oriunde ajungem
va fi cineva acolo care să-l taie în bucăţi şi să le arunce
una câte una
într-o gură albă cu gingii necoapte
spălate în lapte

UN TIMP DE DEPRINDERE CU MOARTEA
şi învăţare a nenumăratelor căi de a lumina
întârzierile astea inutile
/

până când totul va fi doar un corp mare
un lăcaş înghesuit de creaturi blânde
toţi sculptaţi în lumină

MĂ SIMT BINE AICI
la adăpost ştiind că afară
toţi stau la pândă
/

nu spun că-i o zi frumoasă—
doar una din micile mele încoronări

III.

SOMEWHERE ON A TERRACE
with the joy to be fighting
we watch the street and i know leon can get you drunk he can
fuck and kill
each one of you
there is no limit
for what leon can do securely hidden in alcohol
in drugs in exchanges of experiences
/
but i've already lost too much time
i can smell my arm rotting on the inside—
tonight, i have a glass of milk waiting for us

I WALKED OUT THIS MORNING
and i saw a stray dog shitting near my car
i have the mark on my left arm
the imprint of this morning
and it does show that
leon walked out of his house and a stray dog
shitted near his car
/
motionless i wait for my milk watching the street

in this time
my hands clasp they make
a great noise to scare it off
my right foot kicks away an imaginary dog

YESTERDAY ON ONE OF THE LIPSCANI STREETS
i found
that terrace where leon will wait
for his years to pass by
with milk and small victories
that will keep us above the big frenzy
/

III.

UNDEVA LA O TERASĂ
cu bucuria de a fi în luptă
urmărim strada şi ştiu că leon vă poate îmbăta el poate
fute şi ucide
pe oricare din voi
nu-i nici o limită
pentru câte poate face leon bine ascuns în alcool
în droguri în schimburi de experienţă
/
dar deja am pierdut prea mult timp
deja îmi miros mâna putrezind în interior—
în seara asta ne aşteaptă un pahar cu lapte

AM IEŞIT DIN BLOC ÎN DIMINEAŢA ASTA
şi am văzut un câine cum se căca lângă o maşină
pe mâna stângă am tăietura
amprenta dimineţii ăsteia
şi arată într-adevăr cum
leon a ieşit din bloc şi un câine
se căca lângă o maşină
/
nu mişc îmi aştept laptele şi urmăresc strada

în vremea asta
mâinile mele bat fac
zgomot mare ca să-l sperie
piciorul drept izbeşte surd în burta unui câine imaginar

IERI PE UNA DIN STRĂZILE DE PE LIPSCANI
am găsit
acea terasă unde leon o să aştepte
să treacă anii pe lângă el
cu lapte şi victorii mărunte
care să ne ţină deasupra marii agitaţii
/

until one morning leon will have a shower
and he'll walk out with his eyes open but nothing to see
and he'll head to precisely that place
he will lie down at the feet of precisely that man
who will cut him into pieces
then rearrange them
one by one
/
afterwards i'll walk back to my flat through a milky rain
sleep for an hour or two and
walk out in

A NEW DAY
well-loaded well-shaped
prepared since now since the very gesture of
writing this poem

până într-o dimineaţă când leon o să se oprească în mijlocul duşului
şi o să iasă din bloc cu ochii deschişi dar nimic de văzut
şi o să se îndrepte exact către acel loc
şi o să se întindă exact la picioarele acelui om
care o să-l taie în bucăţi
apoi o să le rearanjeze
una câte una
/
după asta o să mă întorc pe jos către casă
printr-o ploaie lăptoasă
o să dorm pentru o oră sau două
şi-am să ies
INTR-O ZI NOUĂ
bine cântărită bine conturată pregătită
încă de acum din chiar gestul de a scrie
poemul acesta

two thousand — two thousand and four

IT SMELLS LIKE SWEAT IN HERE LIKE
a sick body that lay under blankets all night—I
didn't set foot in this room since yesterday morning
my eyes itch from the pc and

the frozen air outside scratched open my blood
on the edge of the bed I wait a while to catch my breath to
sort it out—how am I? with whom
am I about to lie on my bed?

I almost break with happiness I almost
lose my mind I drop my head
down, until it reaches the floor and
I laugh privately

EVERYTHING IS TIED SOMEWHERE INSIDE WITH
small clumps of blood mostly at the joints
—on the cartilaginous parts mostly

and I've been like this tied in chains of myself for
some time now
and four years ago in two thousand I thought
I'd die I'd suffocate inside—I had the air laminated
on my mouth I could only pull it in a bit deeper
in my throat like a plastic bag there was almost
nothing getting in my lungs nothing
in my ventricles—this happened
until some years ago—in two thousand
I cried a lot

I cried just like this bent to the floor
privately out of shame—at that time the room smelt
like diarrhoea and the smell came
out of my nose

IT WILL PROBABLY HAPPEN IN MY SLEEP I CAN'T
imagine how I could stand
seeing them transfer me
from one bathtub of flesh to another—and this
must happen however it will feel
because I am determined
to get out of here

douămii — douămii patru

MIROASE A TRANSPIRAŢIE A
bolnav care a zăcut sub pături toată noaptea eu
n-am călcat în cameră de ieri pe ziuă
mă ustură ochii de la pc şi aerul
rece de afară mi-a dat drumul la sânge pe marginea
patului stau puţin să-mi trag sufletul să
mă lămuresc cum sunt cu cine
urmează să mă întind în pat

aproape crăp de atâta bucurie aproape
că-mi ies din minţi îmi las capul
în jos, până ating podeaua şi
râd pe furiş

TOATE SUNT LEGATE ÎN MINE CU
cheaguri mici de sânge— pe articulaţii îndeosebi
—de porţiunile cartilaginoase îndeosebi

şi sunt aşa prins în lanţuri de mine de
ceva vreme
şi acum patru ani în douămii am crezut
că mor că mă sufoc în mine—aveam aerul pe mine
laminat nu reuşeam decât să-l trag ceva mai adânc
în gât ca pe un celofan aproape
nu mai ajungea nimic în plămâni nimic
în ventriculi asta s-a întâmplat
până acum câţiva ani—în douămii
am plâns mult

am plâns tot aşa aplecat până în podea
pe furiş de ruşine atunci camera mirosea
a diaree şi mirosul ieşea
din nările mele

PROBABIL CĂ ÎN SOMN O SĂ SE ÎNTÂMPLE NU
îmi dau seama cum aş putea să stau să mă uit cum
mă schimbă dintr-o baie de carne în alta—şi asta
trebuie să se întâmple
oricum ar fi pentru că ţin neapărat
să ies de aici

a hug

(to mum, dad, and ali)

WAKE UP—NOW
now while I'm keeping you tight

always be careful be always prepared—when
I find out I'll
let you know

if I jump
from the top of a mountain into the sea and after the falling
there's nothing broken inside
it's a setup—others have worked on my brain
others have filmed everything—i'm in my bed—i'm asleep

you look at my guts—you'll recognize me by the guts

WHICH OF YOU KNOWS
exactly how much hair I lose when I wash my head
exactly
how my teeth hurt

i want that one to cover me i want to coil up inside Him
His viscera inside my ribs
His heart under my tongue

saliva of my mouth unction for His heart

TO THAT ONE
i leave myself in the power of that one
who knows
how my heart smells

who has
the scheme of my bones
my most intimate bones

who can
enter my system
who can reformulate me

îmbrăţişare

(mamei, tatei şi lui ali)

TREZEŞTE-TE—ACUM
acum cât te ţin strâns

tu fii atent fii mereu pregătit—eu
când o să găsesc
o să-ţi spun

dacă sar
din vârful muntelui în mare şi din cădere nu-mi crapă toate cele dinăuntru
e lucrătură—alţii mi-au lucrat creierul
alţii au filmat totul—eu sunt la mine în pat—dorm

tu uită-te la maţele mele—după maţe să mă cunoşti

CARE DIN VOI ŞTIE
exact cât păr îmi cade când mă spăl pe cap
exact
cum mă dor dinţii

acela să mă cuprindă în acela să mă ghemuiesc
maţele Lui prin coastele mele
inima Lui sub limba-mi

gura mea fiertură pentru uns inima aceluia

freamătul freamătul inimii Lui

ACELUIA
în puterea iubirii aceluia mă las
care ştie
cum îmi miroase inima

care cunoaşte
schema oaselor
oasele mele cele mai ascunse

i ask that one to come
to take me in His power
i give myself to that one—i'll live inside His sorrow

YOU'RE NOT WELL—I CAN SEE
that you're not well

of course i love you

my palm is flesh on this page—my palm caresses your face now

my chest comes out of the page
THIS IS A HUG

care poate intra în sistem
care mă ştie reformula

acela să vină
acela să mă ia în putere
aceluia mă las—viaţa mea în inima Lui

NU ŢI-E BINE—VĂD
că nu ţi-e bine

sigur că te iubesc

mâna mea e carne pe pagină—mâna mea îţi mângâie chipul acum

pieptul meu iese din pagină—asta e o îmbrăţişare

ANDREI PENIUC

Andrei Peniuc was born in Bucharest in 1980 and studied Law at the University of Bucharest.

He is part of the Caragiale Workshop and Euridice literary circle.

His books include *a small animal* (Pontica, 2002) which won the Bucharest Writers' Association debut award, and *small manual of terrorism* (Carmen underground series, 2002; 2nd edition Ziua, 2002; 3rd edition Vinea, 2005).

ANDREI PENIUC

a small animal (2002)

SNUFF

> '... the so-called **snuffs**, movies with amateur actors,
> one woman and one or several men. They begin
> with pornographic scenes, but in the moment of the sexual
> act the woman is violently killed. It is assumed
> that the victims are women to be found on the lists of
> missing persons of the police. It all seems
> very real. It appears to be a perversion
> taken to the extreme, although it could very well be
> just well-shot special effects. A real
> psychosis was created among the population. Still, the investigations
> to date could not gather any conclusive
> proofs, no body has been found...'

(FBI Report for the year 2000, published in the New York Inquirer)

> '...Britney Spears, probably the most popular character
> on the planet at this moment...'

(CNN news, 26 Nov. 2001)

> > it's getting light
when it's getting light I light up
Britney steps in or sings close to me gently
all settles—gets fixed
the liver the lungs the kidneys have their own place
I creep inside me lightly
like an irresistible good character > >

un animal mic (2002)

SNUFF

<...aşa-numitele **snuffs**, filme cu actori amatori,
o femeie şi unul sau mai mulţi bărbaţi. Debutează
cu scene pornografice, dar în momentul actului
sexual femeia este ucisă în mod bestial. Se presupune
că victimele sunt femei ce se regăsesc pe listele de
persoane dispărute ale poliţiei. Totul pare
foarte real. S-ar părea că e vorba despre o perversiune
dusă la extrem, deşi la fel de bine ar putea fi vorba
despre trucaje bine realizate. În rândul populaţiei
s-a creat o adevărată psihoză. Cu toate acestea, anchetele
desfăşurate până acum nu au putut strânge dovezi
concludente, nu s-a găsit nici un cadavru...>

(din raportul FBI pe anul 2000, publicat în New York Inquierer)

<...Britney Spears, probabil cel mai popular personaj
al planetei la ora actuală...>

(buletin de ştiri CNN, 26 nov. 2001)

>>se luminează
când se luminează mă luminez
Britney păşeşte sau cântă lângă mine încetişor
totul se aşază fixează
ficatul plămânii rinichii îşi au locul lor
mă strecor în mine uşor
ca un irezistibil personaj pozitiv>>

> > moving micro-organisms carry me like a bed
of walking ants
I let go of everything all over again I know angels survey the city
the internet passes through their temples
I'd say a connection with a connection I'd say
I turn off and I clasp my hands maybe I'm a brother of yours
and we take lots of liberties with each other > >

> > I'm not leaving anywhere
I have a home here and exams I atrophy
in my room it's so hot my hand is sliding on objects
if I could save myself I'd find that too simple
at a given moment I will open my mouth
let myself drool in my lap
I'll do away with my navel—
on the night between 8th and 9th of January nothing happened
I kept awake and waited Britney sang to me > >

> > must cut my nails
cut a slit through me with my eyes clear
it's a new day inside the voice—Britney
her sounds superpose on my name
can't move I feel
a scheme whizzing over my head
today it seemed to me again that I can pass through objects
if I lie down to sleep and stay like this for a long while
I find myself in the centre of the earth and if that's where hell is
I'm fucked
I fear death
like this night with myself > >

> > mă poartă microorganismele mişcătoare ca un pat
de furnici mergătoare
las iarăşi totul să treacă ştiu îngerii survolează oraşul
internetul trece prin tâmplele lor
aş zice legătura cu legătura aş zice
închid şi unesc mâinile poate sunt un frate al vostru
        şi ne permitem multe unii cu alţii > >

> > eu nu plec nicăieri
am aici casă şi examene mă atrofiez
în camera mea e atât de cald îmi alunecă mâna pe obiecte
dacă aş putea să mă salvez mi s-ar părea prea simplu
la un moment dat voi deschide gura
voi lăsa să-mi salivez în poală
îmi voi desfiinţa buricul
în noaptea de opt spre nouă ianuarie nu s-a întâmplat nimic
am stat treaz şi am aşteptat Britney mi-a cântat > >

> > trebuie să îmi tai unghiile
să tai o fantă în mine cu ochii senini
e o zi nouă înăuntrul vocii Britney
sunetele ei se suprapun numelui meu
nu pot să mişc simt
o socoteală vâjâind peste cap
azi mi s-a părut iarăşi că pot să trec prin obiecte
dacă mă întind să dorm şi rămân mult aşa
mă trezesc în fundul pământului şi dacă acolo e iadul
sunt mâncat
mi-e frică de moarte
ca de seara asta cu mine > >

> > Britney insists on shooting a snuff together
everything on Ministry 10/10
her elbow at a certain moment bent at her back
in a very uncomfortable position
leaving her with an oval bruise
sweat dripping on the wooden frame of the bed
in the end she should cut me from the diaphragm
all the way down with an
orange cutter found on my desk > >

> > all has been filmed
the carpet's been cleaned
it's been aired it's dawn
I wake up with a qualm
I hadn't seen guts till that night
after breathing new air it was all right
the roll—I'll take it to that weirdo
it sounds like music coming from under my bed
I would dance to this innuendo > >

> > you assume you enter a story
through a slit left open like that on purpose
this morning when you opened your eyes
none of this story existed
you've opened your eyes with a short surprise
repeated at every awakening
now the day grows
all around—the outlines settle inside you
they penetrate you and you believe a story
and you know you like it > >

> > Britney Spears' taking a shower in your room
the steam on her shoulders lights up like fire
while she's soaping her hips she's singing
with a bass voice in a language you don't know
the sounds she utters slowly decompose
they vibrate in the walls the carpet's oozing with
nice smelling suds
the luminous steam sticks to your face > >

> >Britney stăruie să facem un snuff împreună
totul pe Ministry 10/10
cotul ei la un moment dat sub spate
într-o poziţie foarte incomodă
lăsându-i o vânătaie ovală
transpiraţie picurând pe rama de lemn a patului
la sfârşit să mă taie de la diafragmă în jos cu un cutter
portocaliu găsit pe biroul meu> >

> >totul a fost filmat
covorul e curăţat
s-a aerisit dimineaţă
la început mi-a fost greaţă
nu mai văzusem intestine
după ce am respirat aer nou a fost bine
rola o duc la tipul ăla ciudat
parcă se aude o muzică de sub pat
aş dansa pe muzica asta> >

> >crezi că intri într-o poveste
printr-o fantă lăsată aşa înadins
dimineaţă când ai deschis ochii
nimic din toate astea nu există
ai deschis ochii cu o scurtă mirare
repetată la fiecare trezire
acum ziua creşte
de jur împrejur cadrele se aşază în tine
te penetrează şi crezi o poveste
şi ştii că îţi place> >

> >Britney Spears face duş în camera ta
aburii de pe umerii ei luminează ca focul
în timp ce îşi săpuneşte şoldurile cântă
cu voce groasă într-o limbă pe care nu o cunoşti
sunetele rostite de ea se descompun lent
vibrează în pereţi covorul musteşte
de zoaie frumos mirositoare
aburul luminos ţi se lipeşte de faţă> >

> > I've been sniffing my smell for a while now
today I felt it
I'm given rough cut they say
lots of sex and an artificial light softening the flesh
I'm the mysterious customer
I shoot them with a massive shining revolver
I take the roll and run to Hong Kong
there it all begins
I fall in love with a Chinese woman
I get her to operate a lumbar puncture on me
a golden liquid comes out of my spine
it sticks to people and to objects
I stay put I watch through the window > >

> > all in sweat, I enter the large room
the Chinese woman's legs smartly shine on the retina
there is the perfume of a beginning in here
as if carried away, I approach to the window—a music covers me
there are no sounds—my brain thinks out a music
the projector, left on, shows
snuff > >

> > I leave them both turned to the window
I fast forwarded before I got out
the roll is in its small box
the small box—in my right hand
I'm perfumed—his perfume still
dances on me—a pleasant gliding

at a short step I'm approaching the harbour
the breeze acidly licks my pink soles > >

> >îmi adulmec de o vreme mirosul
azi l-am simţit
mi se aduce o primă variantă spun ei
cu mult sex şi o lumină artificială încruzind carnea
eu sunt clientul misterios
îi împuşc cu un revolver masiv şi lucios
iau rola de film şi fug în Hong Kong
acolo începe totul
mă îndrăgostesc de o chinezoaică
o conving să îmi facă puncţie lombară
din coloana mea iese un lichid auriu
ca o lumină a lichidării
se lipeşte de oameni şi de obiecte
rămân nemişcat privind pe fereastră > >

> >intru năduşit în camera mare
pulpele chinezoaicei strălucesc usturător pe retină
este aici o mireasmă a începutului
ca purtat mă apropii de fereastră o lumină mă înveleşte
nu se aud sunete creierul meu gândeşte o muzică
proiectorul lăsat aprins derulează
snuff > >

> >îi las pe amândoi întorşi spre fereastră
am derulat înainte să ies
rola mică e-n cutiuţa ei
cutiuţa în mâna mea dreaptă
sunt parfumată încă parfumul lui
dansează pe mine o lunecare plăcută
cu pasul uşor mă apropii de port
briza îmi linge acidulat tălpile roze > >

THE LINK

55

> I refuse to turn off.
the outlines of the room rearrange—I hear
the internal coughing of one who's sleeping
the coughing
from in there from his middle.
if I could recognize him tomorrow
to tell him he coughed in his sleep—he would know
he's not alone. he knows he is alone >

59

> the breath that you want to know about
how much of it would fit into a baby's mouth at night
you can't know this
only God knows this—why
do you want to know this
a neon flickered now I say
face to the wall >

LEGĂTURA

55

> refuz să închid se rearanjează
cadrele camerei aud tusea
internă a unuia care doarme tusea
de acolo din mijlocul lui
dacă aş putea să îl recunosc mâine
să îi spun că a tuşit în somn ar şti şi el
că nu e singur el ştie că e singur >

59

> respiraţia despre care vrei să ştii
cât ar încăpea în gura unui copil noaptea
nu poţi şti asta doar Dumnezeu ştie asta de ce
vrei tu să ştii asta
a clipit un neon acum spun
faţa la perete >

small manual of terrorism (2002)

LET'S CONNECT

Who do you think you are
to touch my nostrils
to lick my saliva in my sleep
who makes you
what are you

(...)
don't cry anymore I'll be good
with my eyes clean throughout your days
I cling to you out of which
life spins frets
doesn't find silence

(...)
you need an afternoon of silence:
—can't give.
in the bags under my eyes hides
all my miserable disease
I don't bring you this shit
that's not what you need
neither do I.
if you can lift me
with your hands
if you can
I ask of you please
lift me as you can

(...)
and then: a morning
risen inside the afternoon
slowly
like a good sponge cake:
it will enter your kitchen
will sit down next to you at your table
you'll stay with it

mic manual de terorism (2002)

SĂ NE CONECTĂM

Cine te crezi să-mi atingi nările
să-mi lingi saliva în somn
cine te face pe tine
ce eşti tu

(...)
nu mai plânge o să fiu bun
cu ochii curaţi în zilele tale
mă agăţ de tine din care
viaţa se răsuceşte se perpeleşte
linişte nu găseşte

(...)
îţi lipseşte o după-amiază de linişte
nu pot da
în pungile de sub ochi mi se ascunde
toată boala mea mizerabilă
nu cu asta vin lângă mâinile tale
nu de asta ai tu nevoie
nici eu
dacă poţi cu mâinile tale
să mă ridici
dacă poţi eu te rog
să mă ridici cum poţi

(...)
şi atunci o dimineaţă crescută
în după-amiază uşor
ca un cozonac bun
va intra în bucătăria ta
se va aşeza lângă tine la masă
vei sta cu ea

(...)
angels can't draw near us
over the day we touch we rub one against the other
you also open your home door with your eyes empty
I also open my home door—who are you? are you good?
if you're good then who holds my heart
who ties me to all the dirt of the day
why can't I get some rest why do you feel the need to growl and
to smirk
who knots saliva in your throat
if you're good come eat with me come sit at my table

(...)
I look under your skin in between the halves of your brain
in the core of your heart
do you know what I look for?
a plug a socket a right beginning
the good coupling through which
we untie our smiles melt our nerves

(...)
stop pretending you don't get it bro
I try to win you over with familiar trifles
impress you with your sorrows
I want you to trust me because you're lazy
like me
you find out and forget
you hit and stop
you cry and fall asleep comforted
and I want to be your repetition
your agenda
mother of your instruction
I am your beloved enemy
because I cut even your last chance
to say you didn't know

(...)
I can only tell you about my days
melted into yours
and I wait for you to give me the signal
to destroy our eye-lids
to keep awake until the end

(...)
îngerii nu se pot apropia de noi
noi peste zi ne atingem ne frecăm unii de alţii
şi tu îţi descui uşa casei cu ochii goi
şi eu îmi descui uşa casei cine eşti tu? eşti bun?
dacă tu eşti bun atunci cine îmi strânge inima
cine mă leagă de toate porcăriile zilei
de ce nu mă pot odihni de ce simţi nevoia să mârâi şi să rânjeşti
cine-ţi înnoadă saliva în gât
dacă eşti bun vino să mâncăm împreună

(...)
îţi caut sub piele între jumătăţile creierului în mijlocul inimii
ştii ce caut?
o priză o mufă un început bun
cuplajul cel bun prin care
ne dezlegăm zâmbetele ne topim nervii

(...)
nu te mai preface că nu înţelegi frate
încerc să te câştig cu fleacuri familiare
să te impresionez cu tristeţile tale
vreau să ai încredere în mine pentru că eşti leneş ca mine
afli şi uiţi
loveşti şi te opreşti
plângi şi adormi uşurat
iar eu vreau să-ţi fiu repetiţia
agenda
mama învăţăturii tale de minte
eu sunt duşmanul tău iubit
pentru că îţi tai şi ultima şansă de a spune
că n-ai ştiut

(...)
nu îţi pot spune decât despre zilele mele
topite într-ale tale
şi aştept să îmi dai semnalul
să ne conectăm şi să aşteptăm
să ne desfiinţăm pleoapele
să stăm treji până la capăt

(...)
I didn't approach and you didn't call me
you don't greet me you don't come sit at my table
angels can't draw near us
and generally
it's not about us.
we
wait for something to happen
but not to catch us like this

(...)
I tell you clearly
I am with you
in the same shit
I know what's to be done
I don't start doing it:
it seems too easy
and it doesn't even matter
why I don't act: why don't you
but from now on
you're guilty beside me
I share the guilt with you
because I know that you know
who licks my saliva in my sleep
who uncovers your eyes
locks up your smile
and I thrust into your heart with claws that aren't mine
and I can't be alone anymore and maybe
almost against us: something good:
you'll start something good

(...)
I with my own business you with your own
and by the end I wish I could say
I don't know your hiding places
but you know mine
so that you see how you stalk your neighbours
like in the movies
no matter how much filth I'd be in and how many things I'd say to you
don't forget for one second it's about me
it has nothing to do with you
it's all about me

(...)
nu m-am apropiat şi nu m-ai chemat
nu mă primeşti nu vii să mâncăm împreună
îngerii nu se pot apropia de noi
şi în general
nu despre noi e vorba
noi
aşteptăm să se întâmple ceva
dar să nu ne prindă aşa

(...)
îţi spun clar
stau cu tine
în aceeaşi mizerie
ştiu ce e de făcut
nu mă apuc de făcut
mi se pare prea simplu
şi nici nu contează
de ce stau de ce stai
dar de-acum
eşti vinovat alături de mine
împart vina cu tine
pentru că eu ştiu că tu ştii
cine îmi linge saliva în somn
cine îţi dezgoleşte ochii
îţi încuie zâmbetul
şi mă înfig în inima ta cu gheare care nu sunt ale mele
nu mai pot să fiu singur şi poate
aproape împotriva noastră ceva bun
vei face să se întâmple

(...)
eu cu ale mele voi cu ale voastre
şi până la sfârşit aş vrea să pot spune
că nu vă ştiu ascunzişurile
dar voi să le ştiţi pe-ale mele
ca să vedeţi cum intraţi în semenii voştri
ca la film
oricâte porcării aş face şi oricâte vi le-aş spune
să nu uitaţi nici o clipă că e vorba de mine
nu are legătură cu voi
e vorba numai de mine

(...)
where there is indifference there's no place for betrayal
if you don't fall in love with me faster
men women children and all nations
lots will remain hidden
even if I'd write about it on public toilet walls
on the tile-backs of your home toilets
lots will remain hidden
and will eat us up

(...)
about this they make movies and news programs
you watch
and I watch you
now you know we are caught in a network of frames
like a melancholy which
paralyzes our brain

(...)
I can't redeem myself without your betrayal
without you I only come up with fiction movies
I want to shoot a documentary about us
I want us to connect to the network
there is no network without betrayal
I'll install sockets in your napes
and plugs on the spine
because I can't redeem myself
without your love
now I've told you know now you know

(...)
unde este indiferenţă nu-i loc de trădare
dacă nu vă îndrăgostiţi de mine mai repede
bărbaţi femei copii şi toate popoarele
multe or să rămână ascunse
chiar de vi le-aş scrie pe uşile toaletelor publice
pe faianţa toaletelor voastre de-acasă
multe or să rămână ascunse
şi-or să ne mănânce

(...)
despre asta se fac filme şi programe de ştiri
tu te uiţi
şi eu mă uit la tine
şi eu îţi apar pe ecran
acum ştii că suntem prinşi într-o reţea de imagini
ca-ntr-o mare melancolie care
ne paralizează creierul

(...)
eu nu mă pot mântui fără trădarea voastră
fără voi nu-mi ies decât filme de ficţiune
eu vreau să fac un documentar despre noi
vreau să ne conectăm în reţea
reţea nu există fără trădare
o să vă fac mufe în ceafă
şi prize pe coloana vertebrală
pentru că eu nu mă pot mântui fără dragostea voastră
acum v-am spus acum ştiţi

APPENDIX (ABOUT EMINEM)

When did you start doing this?
first time I thought about it I think I was 11-12 years old
but actually I wasn't thinking exactly about this
somehow it was of a different shape
of what shape?
it was something just mine
I felt it was something that separated me
leaving me alone with fear
something to think about when you're alone—that's what it was
and little by little you feel loneliness is one of your qualities
did you have a lonely childhood?
no—no way
I socialized even very much
I played football in front of the house I fought
I went out to play every day
and then what kind of loneliness is it about?
when did you intend to do what you were doing?
it was just in my mind. back then it was just in my mind.

(...)
this time as well best love comes
from inside I desire myself and I seize myself too hard
slowly comes the clarity from that very movie
shoot without your consent in your heart
it comes faster and faster I take thousands of pictures of you
one by one I pull your life out blind you with the flash-light
do not look at me

(...)
I write too early on your eyes
from this connection
you make me confess
you sit and wait
what do you wait for?
I offer you odds and ends
I can even pull ribbons out of my nose
and you fuss about and wait
fuck off save yourself in a corner
and shake until you piss on yourself

ANEXĂ (DESPRE EMINEM)

Când ai început să faci asta?
prima oară când m-am gândit cred că aveam 11-12 ani
dar de fapt nu mă gândeam chiar la asta
era cumva sub o altă formă
sub ce formă?
era ceva doar al meu
cum să spun .. simțeam că e ceva care mă desparte
mă lasă singur
ceva la care te gândești când ești singur asta era
și încet-încet simți că singurătatea e o calitate a ta
ai avut o copilărie singuratică?
nu nici vorbă
m-am socializat chiar foarte mult
am jucat fotbal în fața blocului m-am bătut
ieșeam la joacă în fiecare zi
și atunci despre ce singurătate e vorba? când aveai timp să faci ce făceai?
era doar în gând. pe atunci era doar în gând

(...)
și de data asta cea mai bună dragoste vine
dinăuntru mă doresc și mă cuprind prea tare
încet vine curățarea chiar din filmul acela
filmat fără voia ta în inima ta
vine din ce în ce mai rapid îți fac mii de poze
una după alta îți trag viața afară te orbesc cu blițul
nu te uita la mine

(...)
îți scriu prea devreme pe ochi
din toată legătura asta pe care tu mă pui să o mărturisesc
te așezi și aștepți
ce aștepți?
eu îți dau vrute și nevrute
pot să scot și panglici pe nas
iar tu te foiești și aștepți
du-te-n mă-ta salvează-te într-un colț
și tremură până faci pe tine

(...)
why are you crying?
I don't know. I feel the need to. I feel like exploding inside
but what do you think about?
myself: I think only about myself
I think I cry out of pity for myself
like I'd cry for me from inside somebody else
from who?
I'm not nuts—I don't speak nonsense you'll see

(...)
I picked on you I know
give me your torments and mine will crouch
turn me into a scapegoat make me a martyr
when I say this my soles freeze with fear
don't listen to me don't look at me
I offer you an agreement
you will be good: better and better
you won't lose your temper anymore won't fornicate anymore
and I'll talk about you
I'll write about you
I'll pass my time with you
through and through

(...)
beloved, do you really think you can lock me up
where are you going and why are you going
that's what I try to understand these reassembled days
you can't interrupt me
I want something unexpected to come
like a relief
don't you?
you can't put me off: I yell
with my mouth stuck to your heart
and in sad days
I sit and watch outside the window
until my eyes grow blurred
it's not complicated

(...)
de ce plângi?
nu ştiu .. simt nevoia .. simt că explodez înăuntru
dar la ce te gândeşti?
la mine mă gândesc doar la mine
cred că îmi plâng de milă
parcă plâng pentru mine din partea altcuiva
din partea cui?
nu sunt ţăcănit nu vorbesc aiurea o să vedeţi

(...)
eu m-am luat de tine ştiu
dă-mi mie chinurile tale şi ale mele se vor chirci
fă-mă martir fă-mă mucenic
când spun asta mi se răcesc tălpile de frică
nu mă asculta nu te uita la mine
îţi propun un pact
tu vei fi bun din ce în ce mai bun
nu te vei mai mânia nu vei mai face desfrânare
iar eu voi vorbi despre tine despre tine voi scrie
îmi voi trece timpul cu tine
cu bine

(...)
iubitule oare chiar crezi că mă poţi închide
încotro mergi tu şi de ce mergi tu
asta încerc să înţeleg în zilele astea reasamblate
nu mă poţi întrerupe
vreau să vină ceva neaşteptat
ca o uşurare
tu nu?
tu nu mă poţi stinge eu urlu
cu gura lipită de inima ta
şi în zilele triste
stau şi mă uit pe geam
până mi se împăienjenesc ochii
nu e nimic complicat

(...)
do you feel guilty?
yes. actually. a little in the beginning
then more and more guilty
I try to stop
why do you do it?
because otherwise it's all too easy
from a point further
I know what's to be done and what's not
do you feel anything when it happens?
yes. something like a smirk

(...)
I state one can't do evil
if one doesn't get enough
I don't get enough:
and to stay put
you must have as much to lose as possible
so don't you tell me—why do you do and why don't you do
I don't do because I wait to grow on my back
an exploding device to turn me to ashes
at my first stumble

(...)
there are links of the body
that it itself wouldn't admit to
you do things it's good to forget
but it's not easy to forget
remember: your actions
are linked to mine
in a network
that can save us
or can fuck us for good
you're a brother of mine and against your will
against any fair rule
I keep you inside me I tie myself to you
to see and to find out together what's coming

(...)
te simţeai vinovat?
da .. de fapt .. oarecum la început
apoi din ce în ce mai vinovat
încercam să mă opresc
de ce o făceai?
pentru că altfel totul era prea simplu de la un punct încolo
ştiam ce e de făcut şi ce nu e
simţeai plăcere când o făceai?
mai degrabă o satisfacţie amară
ceva ca un rânjet

(...)
eu spun că cineva nu poate face rău
dacă nu primeşte cât trebuie
eu nu primesc cât trebuie
iar ca să stai potolit
trebuie să ai cât mai mult de pierdut
aşa că nu-mi spune mie—tu de ce faci şi de ce nu faci?
eu nu fac pentru că aştept să-mi crească în spate
un dispozitiv exploziv care să mă facă praf
la prima împiedicare

(...)
sunt legături ale corpului
pe care el însuşi nu şi le-ar recunoaşte
tu faci lucruri pe care e bine să le uiţi
dar nu-i uşor să le uiţi
ţine minte că faptele tale
sunt legate de ale mele
într-o reţea
care ne poate salva
sau ne poate mânca
eşti un frate al meu şi împotriva voinţei tale
împotriva oricărei reguli drepte
te ţin în mine te leg de mine
să vedem să aflăm împreună ce vine

(...)
where will I follow you
leaving with everything I try to stand for:
in those parts where we meet
worn out weak and distorted
our eyes vacuous:
where from so much sadness in a day
I wanted to go through like a teetotum?
under the beginning of this ridiculously sad day with you
we can rewind
if you want we can find
the right start

(...)
why do you listen to eminem? do you like him?
when she saw him singing live in barcelona
adria said: what vacuous eyes he has!
that's when I understood why I like him
she said vacuous I think she meant to say frightened

(...)
it comes often in the morning
it finds me here still here
polluted with my own image
accelerated, my movements
become a pattern
for those who believe in them
I warn you: we'll save each other one by one
all my filth that you see
forget it
turn your face from my bad deeds
but I'll wallow in yours
up to my waist until you'll love me
without wanting to just like you cum in your sleep
I tell you all these so that you understand
that I run out of mine into yours
that I put everything on your shoulders
now you know now you are now do what you know.

(...)
unde te voi urma ducându-mă cu tot ce încerc să însemn
în acele părţi în care ne întâlnim ca doi asasini
storşi de vlagă slabi şi schimonosiţi
cu ochi rătăciţi
de unde atâta tristeţe într-o zi
prin care voiam să trec ca un titirez
sub începutul acestei zile ridicol de triste cu tine
se poate dacă vrei să nu fiu decât eu

(...)
de ce asculţi eminem? îţi place?
când l-a văzut cântând live la barcelona
adriana a spus: ce ochi rătăciţi are!
atunci mi-am dat seama de ce îmi place
ea a spus rătăciţi cred că voia să spună speriaţi

(...)
vine des dimineaţa
mă găseşte aici tot aici
poluat cu propria mea imagine
accelerate mişcările mele
devin adevărate modele
pentru cei care cred în ele
te previn ne vom salva unul câte unul
toate mizeriile mele pe care le vezi
să le uiţi
să întorci faţa de la faptele mele rele
dar eu mă voi bălăci printre ale tale
până la brâu până mă vei iubi
fără să vrei la fel cum îţi dai drumul în somn
îţi spun toate astea ca să înţelegi
că fug din ale mele în ale tale
că pun totul pe umerii tăi
acum ştii acum eşti acum fă ce ştii

OVIA HERBERT

Ovia Herbert (penname of Robert Diculescu) was born in 1977 in Alexandria.

He is part of the Caragiale Workshop and Euridice literary circle.

His books include *the openings* (Pontica, 2004).

He is studying Public Relations, at the National School for Political and Administrative Studies in Bucharest.

e-mail: ovia12000@yahoo.com

OVIA HERBERT

the openings (2004)

(there is)

singing beyond the surface
we want to learn it
born for this we forget the movements of openings
if I'd ask you one night
what you'd want to hear from me
you couldn't articulate
neither can I, but I can presume
a powerful tune or a silence
one can't get out of
inside this body.

refrain: you'll hear me how you wanted to
how you never expected me
to take shape to extend you
implacably.

deschiderile (2004)

(există)

cântec în spatele suprafeţei
vrem să-l învăţăm
născuţi pentru asta uităm mişcările deschiderilor
dacă te-aş întreba o noapte
ce-ai vrea să auzi de la mine ce-ai vrea
nu reuşeşti să rosteşti
nici eu dar pot presupune
o melodie puternică sau o linişte
din care nu se mai poate ieşi
cu trupul acesta.

refren: o să mă auzi aşa cum ai vrut tu
cum nu te-ai aşteptat niciodată
să iau forme să te continui
implacabil.

(open)

open what you know it's necessary
don't give in—with your hearing covered hear
hear
the windows and the broken curtains—we need light
rise through the room in its rhythm
dancing take you over
you've sniffed enough
it's clear in this superb bath
of sounds breathing out arrays
and what is important takes you out
nothing foreign blameable
the shy voice takes shape intensity
joined to the others you notice
how what didn't put you down now raises you.

(I can't manage)

I can't manage to live without your answers
Whatever way—whispered
or deafening
behind the skin you train
for what's going to come
you add other voices
important contortions
I'm ready to absorb them
free
a dance I couldn't know without help
you use unleashing devices
behind the crusts
each of your growths
happen in me

refrain: day by day you enjoy this more
the photo on the wall has a different head
more your own.

(să deschizi)

să deschizi ce ştii că este nevoie
nu da înapoi cu auzul acoperit auzi
auzi
geamurile şi perdelele rupte e nevoie de lumină
tu urcă prin încăpere în ritmul ei
dansul te cuprinde
ai adulmecat destul
e clar în această baie superbă
de sunete expiraţiile se ordonează
şi ce este important te scoate în afară
nimic străin condamnabil
vocea timidă prinde contur forţă
alăturat celorlalţi observi
cum ce nu te-a prăbuşit acum te înalţă.

(nu reuşesc)

nu reuşesc să trăiesc fără răspunsurile voastre
pe orice cale în şoaptă
sau asurzitor
în spatele pielii vă formaţi
pentru ceea ce urmează
adăugaţi alte voci
deformări importante
sunt gata să le absorb
libere
un dans ce nu l-aş cunoaşte fără ajutor
folosiţi resorturi declanşatoare
în spatele crustelor
fiecare creştere a voastră
se întâmplă şi în mine

refren: pe zi ce trece îţi place mai mult
fotografia din perete are un alt cap
mai al tău.

(the caressings)

my caressings change your life gradually
you unfold without knowing
you cleanse in spite of jammings
all would like to touch you in the spots
emitting your power
you love with your eyes closed
touch what is needed without groping
the others perceive the new air that's coming
they want to get in
feed themselves also—at any cost.

(circulation)

an over-restricted circulation
once awake it's not you talking anymore
dipped into words
don't stop
what counts is the intensity of the ligament dislocations
the explosion of movements
how steam can come out of words
it can encircle and propel
choose what sets you into movement
what pushes you
towards yourself
decorticated.

(one)

one behind the other
in halls in streets in basements of the city
without making noise we wait
the time of waste
we'll hear cheering
trained on the fly
without holding the fluids from one to the other
what's started like a murmur
will enlarge comprising us
a symphony inside which we'll see ourselves
differently.

refrain: you believe what you can't see
what doesn't happen and
is about to take shape.

(mângâierile)

mângâierile mele îţi schimbă viaţa treptat
te desfaci fără să ştii
te cureţi în ciuda bruiajelor
toţi ar vrea să te atingă în punctele
de unde îţi pleacă forţa
iubeşti cu ochii închişi
atingi ceea ce este nevoie fără să bâjbâi
ceilalţi sesizează noul aer ce vine
ar vrea să intre
să se hrănească şi ei cu orice preţ.

(circulaţie)

o circulaţie prea restrânsă
odată trezit parcă nu mai vorbeşti tu
înmuiat de cuvinte
nu te opri
contează intensitatea ruperii ligamentelor
explozia mişcărilor
cum din cuvinte pot ieşi aburi
învălui şi propulsa
alege ce te pune în mişcare
ceea ce te împinge
spre tine
decorticat.

(unul)

unul în spatele altuia
pe holuri pe străzi în subsoluri ale oraşului
fără a face zgomot aşteptăm
timpul pierderilor
vom auzi îndemnuri
pregătiţi din mers
fără a opri fluidele de la unul la altul
ceea ce începea ca un murmur
se va mări cuprinzându-ne
simfonie înăuntrul căreia ne vom privi
altfel.

refren: crezi ce nu se vede
nu se întâmplă şi
urmează a lua forme.

(at first)

at first it's going to happen between us
the discovering of rapid and convincing experiences
each night will turn into an ecstasy
other articulations
will develop in our minds imperceptibly
with a necessary movement of objects
smiles will conquer the spaces
everything turned fresh
settled in the flesh of others
we force the births
of which we were in need
from the beginning.

(you learn)

you learn the sounds relaxed not out of textbooks
the sounds of closeness
you are no longer the defeated animal
you wait no longer. the suffocation that would come—
listen to what's taking shape
the cable the other one clearly cries through
in your ear but he waits for something else
each of your movements
each of his smiles
uncovered dipped into vibrations
the streets you walk on become you
become the eyes the other one looks at you with.

///

you open like some creatures
wanting more space and air
I like it
the words change directions
crammed one into the other
we'll listen to
everything that happens
outside and inside.

///

(întâi)

întâi se va întâmpla între noi
descoperirea experienţelor rapide şi convingătoare
fiecare noapte se va transforma într-un extaz
alte spuneri
se vor derula în minte imperceptibil
cu o mişcare necesară a obiectelor
zâmbetele vor cuceri spaţiile
totul devenit proaspăt
aşezaţi în carnea celorlalţi
se vor întâmpla naşterile de care
am avut nevoie de la început

(înveţi)

înveţi sunetele relaxat nu din manuale
sunetele apropierii
nu mai eşti animalul înfrânt
nu mai aştepţi sufocarea ce-ar veni
ascultă ce se formează
cablul prin care celălalt îţi plânge clar
în ureche dar aşteaptă altceva
fiecare mişcare a ta
fiecare zâmbet al lui
despăturiţi îmbibaţi de vibraţii
străzile pe care mergi devin tu
ochii prin care celălalt te priveşte

///

vă desfaceţi ca nişte vietăţi
ce doresc mai mult spaţiu şi aer
îmi place
cuvintele schimbă direcţii
strânşi unul în altul
vom asculta
tot ce se întâmplă
în afară şi înăuntru.

///

we're offered takeoffs from the ground
we float in the brain of the other pleasantly
the bodies want other bodies
open pores
you touch the objects with my hands
you speak my language

///

the landscapes that you're shown inside
draw me closer to you we hear ourselves
in a halo of silence
I don't recognize anymore anything that detaches me from myself
I've lost any fear.

///

we breathe from each other
on avenues in parks
we meet at pedestrian crossings
close until the green colour appears
sweat is caught through touches
that's why there's a need to multiply
the signs
some certain and precise identifications

///

an underground tune appears
a stammering of gestures
when there's the need to follow
the growth in the eyes of the others
how we hit ourselves
to wake up.

///

you'll eat and you'll give me some as well
foetus glued to your sounds
we continue the transferring
any loss would affect us both
irreversibly.

///

ni se oferă desprinderi de la pământ
plutim în creierul celuilalt plăcut
trupurile vor alte trupuri
pori deschişi
atingi obiectele cu mâinile mele
vorbeşti limba mea

///

peisajele ce ţi se derulează înăuntru
mă apropie de tine ne auzim
într-un halou al liniştii
nu mai recunosc ce se desprinde de mine
mi-a dispărut orice frică.

///

respirăm unii din alţii
pe bulevarde în parcuri
ne întâlnim la trecerile de pietoni
apropiaţi până apare culoarea de trecere
transpiraţiile se iau prin atingeri
de aceea e nevoie de o înmulţire
a semnelor
ceva identificări sigure şi precise.

///

apare un cântec de subterană
o bâlbâială în gesturi
când e nevoie să urmărim
creşterea în ochii celorlalţi
cum ne lovim
spre trezire.

///

vei mânca şi-mi vei da şi mie
făt lipit de sunetele tale
menţinem transferurile
orice pierdere ne-ar afecta pe amândoi
ireversibil.

///

the tune sang since waking up
like a prayer
behind the doors under the washstand
we smooth out the bodies
while warming up
we feel on the tongue the sweet taste
of the other.

///

in our bones a thin windowpane
from behind which a connection
watches
with blood irrigation everywhere
God—the cover we grow from
without realizing it.

///

dissolved, I don't put up resistance anymore
I give myself to this flowing
of superposed tunes, my brain is filled with aromas
I surrender to them, one way or another.

///

sometimes pain attacks
but I wait for feasts for everybody
          I'm being interrupted
I tremble next to you
I can't talk anymore
you know what you have to say
to continue me   say it.

///

the maddening smell of sweat
we enter skin through skin
in your eyesight I open
windows after windows
every step—a blossoming.

cântecul spus de la trezire
ca o rugăciune
în spatele uşilor sub spălătoare
netezim corpurile
în dezmorţire
simţim pe limbă gustul dulce
al celuilalt.

///

în oasele noastre un geam subţire
din spatele căruia veghează
o conexiune
cu irigări de sânge peste tot
dumnezeu învelişul din care creştem
fără a ne da seama.

///

dizolvat nu mai opun rezistenţă
mă dau curgerii acesteia
de muzici suprapuse creierul mi-e plin de arome
mă predau lor într-un fel sau altul.

///

uneori durerea atacă
dar eu aştept sărbători pentru toţi
                 sunt întrerupt
tremur lângă tine
nu mai pot să vorbesc
tu ştii ce trebuie să spui
să mă continui   spune.

///

mirosul transpiraţiilor înnebunitor
piele prin piele intrăm
în privirea ta deschid
ferestre după ferestre
fiecare pas o înflorire.

///

on distinct voices
the big screens broadcast
the screens covered by the hair on the head
the driving belts vibrate
          it shows
how we get in and out of each other
with what is best.

///

on your shadow and on what you wanted
to articulate
I feed myself, and I improve
I'm interested in the remains as well
something can be done with everything
always unprepared
we announce
what has already happened—we are overtaken with precision.

///

a rich foam gets out between your lips
stop it
but don't hide it
it happens to me too
utter your name and this will be enough for me
to love you still just like
until now.

///

you're not from this movie
neither am I
we don't receive the waves
we try gluing at a distance
you're not from this movie
but you act it
I am not either
but I'm being born together with it.

///

cu voci distincte
marile ecrane transmit
ecranele acoperite de părul capului
curelele vibrează
        se vede
cum intrăm şi ieşim unul din altul
cu ce este mai bun.

///

din umbra ta din ceea ce ai vrut
să rosteşti
mă hrănesc şi îmbunătăţesc
mă interesează şi resturile
cu orice se poate face ceva
mereu nepregătiţi
anunţăm
ce s-a întâmplat suntem depăşiţi cu precizie.

///

o spumă bogată îţi iese dintre buze
opreşte-o
dar n-o ascunde
mi se întâmplă şi mie
rosteşte-ţi numele şi asta îmi va fi de ajuns
să te iubesc în continuare ca şi
până acum.

///

tu nu eşti din filmul acesta
nici eu nu sunt
nu primim undele
încercăm lipiri de la distanţă
nu eşti din filmul acesta
dar îl joci
nici eu nu sunt
dar mă nasc odată cu el.

short circuits

///

I'm careful with the heels
and with hitting the asphalt
with the mimics that happen close-by
in the street.
I need a receiving canal a narrow one
to grow wrapped by the plasma created around me
day by day.

///

light reaches the room up to blindness
pulls the eyes out
sections a part of the brain
I talk to the flies until I stammer
neighbours swear and spit
I hear them through the door
here they do the cleaning here is the cleaning
I'll soon set out of my bones
of my blood.

///

you think I'm a criminal
to be abandoned in the middle of the street
I'll follow you until you disappear
nothing can change the order
in which we move away from each other.

///

the fluxes between each other get deformed
            what is this we hear
it's just the whizz of the brain
until you scream
and I follow you.

///

scurt-circuite

///

sunt atent la tocuri
şi la izbitura asfaltului
la mimările petrecute în apropiere
pe stradă.
am nevoie de un canal de primire unul îngust
să cresc învăluit de plasma creată în jurul meu
zi de zi.

///

lumina ajunge în încăpere spre orbire
scoate ochii
secţionează o parte a creierului
vorbesc muştelor până mă bâlbâi
vecinii înjură şi scuipă
îi aud prin uşă
aici fac ei curat aici e curatul
am să plec în curând din oasele mele
din sângele meu.

///

mă crezi un criminal
de abandonat în mijlocul străzii
te voi urmări până dispari
nimic nu poate schimba ordinea
în care ne îndepărtăm unul de altul.

///

fluxurile de la unul la altul se deformează
                ce se aude
e doar vâjâitul creierului
până când urli
şi eu te urmez.

///

you're leaking
you press your fist on the mouth
leaks that aren't visible appear
you enter the day like a plastic bag
pulled over the face
you have spasms you look for a mechanism
to throw you to another
                side.

///

I don't detect anymore what's coming fresh
the short circuits break me off and rive me
I feel the burning smell
I get dizzy in the fume of my own loss.

///

the fish in the oven
in the tomato sauce with their bodies split
and those living ones around her hips
in a trembling flounder
while she separated the bones from the flesh
she was screaming but I didn't hear anymore I was spreading her bloc
                shed all over her body
I was wiping it with my tongue
she was screaming: if you want to pull their eyes out
                take their eyes.
and crush me before they die
now right now.

///

I hear in the night only the repeated blows
in the walls
late drunkards hitting the door
the music of the walls—a bore
making its way inside me
the silence, glued to the ears
the bulb, turned on inside the eyes
I say even what I don't know
or I repeat what I'm told in my sleep.

ai scurgeri
îţi apeşi pumnul pe gură
apar pierderi ce nu sunt vizibile
intri în zi ca într-o pungă de plastic
trasă peste faţă
ai spasme cauţi un mecanism
care să te arunce în altă
                parte.

///

nu mai detectez ce vine proaspăt
scurt-circuitele mă întrerup şi mă despică
simt mirosul de ars
ameţesc în aburul propriei pierderi.

///

peştii cei din cuptor
în sosul de roşii cu trupurile despicate
şi cei vii din jurul şoldurilor ei
în zbatere tremurând
când ea separa oasele de carne
urla dar nu mai auzeam îi întindeam sângele scurs pe tot trupul
i-l ştergeam cu limba
ea striga :dacă vrei scoate-le ochii
                ia-le ochii.
şi striveşte-mă înainte ca ei să moară
acum chiar acum.

///

aud în noapte doar loviturile repetate
în pereţi
beţivi întârziaţi lovind uşa
muzica pereţilor burghiu
făcându-şi loc în mine
tăcerea lipită de urechi
becul aprins în ochi
spun şi ce nu ştiu
sau repet ceea ce mi se spune în somn.

///

I peel the wall
I try to crack it
I add incoherences to my life
in the same bed-sheet
I lift up my fist I hit the wall
I shake the beetles for one moment I frighten them
they'll climb on other sides
the last scream I give out
is a flying beetle.

///

the sin grows through the wall
then enters the skin
it takes into possession it walks
almost to my end
I need a window
or another mouth behind the wall
to be able to breathe,
for the air to come
—or let it not come anymore
let it not.

///

if you want to find me
I'm next to you
we can stay a few moments together
to sip a glass of water
and to postpone   we can postpone
eventually it's still going to happen.

///

how much can you push it?
how much can you do for me?
could I die for you without
        feeling sorry?
could I ?

///

decojesc peretele
încerc să-l fisurez
îmi adaug incoerenţe vieţii
în acelaşi aşternut
ridic pumnul izbesc peretele
cutremur pentru o clipă gândacii îi sperii
vor urca prin alte părţi
ultimul strigăt ce-l scot
e un gândac zburător.

///

păcatul creşte prin zid
apoi intră în piele
pune stăpânire merge
până spre capătul meu
am nevoie de o fereastră
sau o altă gură în spatele zidului
să pot respira
să vină aerul
sau să nu mai vină
să nu.

///

dacă vrei să mă găseşti
sunt lângă tine
putem sta câteva clipe împreună
să sorbim un pahar cu apă
şi să amânăm   putem amâna
până la urmă tot se va întâmpla.

///

cât poţi întinde coarda ?
cât reuşeşti să faci pentru mine ?
eu aş reuşi să mor pentru tine fără
              să-mi pară rău ?
aş reuşi ?

///

you spit on me and yell: you've gone nuts
I'm ready to receive.
there'll come a moment
when you'll look for me to tell me one single word
you can't heal by yourself
neither can I
this recognition paralyses us.

///

I'm losing my closeness
don't leave me in torpor
saying no is easy
my strength runs out.
I'd like a smile from you
the vibrations I've received, I'll transmit them through other canals
I know
the images inside continue the pellicle
that we are here for.

///

mă scuipi şi strigi :ai luat-o razna
sunt gata să primesc.
va veni un moment
când mă vei căuta să-mi spui un singur cuvânt
nu te tămăduieşti singur
nici eu
recunoaşterea aceasta ne paralizează.

///

pierd apropierea
nu mă lăsaţi în lene
îmi este refuzul la îndemână
mi se scurge puterea.
aş vrea un zâmbet din partea voastră
pulsiunile primite le voi difuza pe alte canale
ştiu
imaginile dinăuntru continuă pelicula
pentru care suntem aici.

RĂZVAN ŢUPA

Răzvan Ţupa was born in Brăila in 1975 and studied the History of Culture and Religion.

He is part of the Caragiale Workshop, Letters 2000 and Euridice literary circles.

His books include *fetish* (Semne, 2001) which won the Mihai Eminescu debut award and was shortlisted for the Bucharest Writers' Association and Writers' Union debut awards, *all the objects into which we cram our intentions to grow close* (Carmen underground series, 2002) and *romanian bodies* (Cartea Românească, 2005).

He works as a journalist.

e-mail: razvan_tupa@yahoo.com

RĂZVAN ŢUPA

fetish (2001)

but this doesn't matter

this place could have everything—board cubicles rooms
where to get undressed
        with eyes fixed to the creaks in which shadows slide
ultraquick shelters and large balconies with some kind of caves at the back
covered by cherry cloth curtains—and everywhere
                a diffused light imitates the bodies
                        promises the massive grace
an ample sound
                a reverie of emptiness and abundance
                        a caraway seed that you taste in the evening
when you hurry between two hours of exact but exterior things
you can favour—something happens in the bus
                        nobody says anything and
this time what happens is not overwhelming—I can sit there
                I get off
it's silent
        outside—dust that tastes like fog rests on the strident gestures of shops
you
say something
        unarticulated—a language different from any translation
But this doesn't matter

fetiş (2001)

dar asta nu contează

locul ăsta ar putea să aibă de toate cabine de scânduri camere
unde să te dezbraci cu ochii fixaţi pe crăpăturile în care glisează umbre
monoposturi ultra rapide şi balcoane largi cu un fel de peşteri în spate
acoperite de perdele de cârpă vişinie şi peste tot
        o lumină difuză imită corpurile promite graţia masivă
un sunet amplu o reverie de gol şi plin un fir de chimen pe care îl guşti
seara când te grăbeşti între două ore de lucruri exacte dar exterioare

poţi să preferi se întâmplă ceva în autobuz nimeni nu spune nimic şi
de data asta nu-i apăsător ce se întâmplă pot să mai stau acolo cobor
e liniştit afară un praf cu gust de ceaţă stă pe gesturile stridente ale magazinelor
tu
spui ceva nearticulat o limbă de pâslă diferită de orice traducere
                              dar asta nu contează

the art of vision

foreplay I drunken sun

each morning is a foreplay
or at least a promise
for the gestures that finally
get to rest

        each morning is a foreplay
        or at least a promise
        as every time you meet
        a certain possibility to get tired

        each morning is a foreplay
        or at least a promise
that you won't say anything anymore it's enough to keep silent
and everything I promise you—will come true

part II drunken sun

now these mornings I raise some hymns
I swear till I'm ashamed I say some stupidities
that can only be for your praise God

I measure with my eyes my body parts
I even touch myself in this exercise and each
time your hands are already there now

these mornings I raise some hymns
I get out of bed and I see you through the drapery
a closeness full with the conscious breathing
I know that from now on now these mornings

I raise some hymns like a film that's burning
as it's shown on a screen that's more and more narrow
any moment now everything
will be only a white light now these mornings I raise

only some hymns are everything we'll be left with

arta viziunii

preludiu I soarele beat

fiecare dimineaţă este un preludiu
sau cel puţin o promisiune
pentru gesturile care în sfârşit
ajung să se odihnească

       fiecare dimineaţă este un preludiu
       sau cel puţin o promisiune
       pentru că te întâlneşti de fiecare dată
       cu o anume posibilitate de a obosi

       fiecare dimineaţă este un preludiu
       sau cel puţin o promisiune
       că cu o să mai spui nimic ajunge să taci
       şi tot ce îţi promit o să se împlinească

partea II soarele beat

acum dimineaţa înalţ nişte imnuri
înjur de mi-e şi ruşine spun nişte porcării
care nu pot să fie decât pentru mărirea ta doamne

îmi măsor din priviri părţile corpului
mă şi ating în exerciţiul ăsta şi de fiecare
dată mâinile tale sunt deja acolo acum

dimineaţa înalţ nişte imnuri
mă ridic din pat şi te văd prin perdea
o apropiere plină de respiraţia conştientă
ştiu că de-acum încolo acum dimineaţa

înalţ nişte imnuri ca un film care arde
pe măsură ce rulează pe un ecran tot mai îngust
dintr-un moment în altul totul
o să fie numai o lumină albă acum dimineaţa înalţ

numai nişte imnuri sunt tot ce-o să ne rămână

part III minor skies

even if it seems like it's never early enough
even if the sound of the tram leaves you with no feeling
and you don't know by heart even one single psalm from the commercials

morning still comes for you too

even if your eyes are used to the artificial light of season tickets
and you never wake up before it was necessary
even if you ever heard how new clothes cry in shop windows

morning still comes for you too

even if you'd rather wish it rained and nobody
else were in the street to recognize you and leave you
for the first time with the feeling that you can keep silent and nobody forces you
        anymore

to understand that anyway
morning still comes for you too
with its silent artifices

part IV the consistency of pleasure

in the street did you think all you need
is a step and you'd almost be dancing—did you think everything you see
is unique

each time just for you
the damn creak in the pavement is ready
to be filled with your disregard

for some it's easier but
for nobody is easy enough
and you've been thinking in vain all the rest
is an approximation

only the tram comes or doesn't come
and even this one sometimes comes in vain

sometimes it's enough to reach out your hand and
the rain the silent virulence of the sun
        say it all

partea III ceruri minore

chiar dacă ţi se pare că nu-i niciodată destul de devreme
chiar dacă sunetul tramvaiului nu-ţi dă nici o senzaţie
şi nu ştii pe dinafară nici măcar un singur psalm din reclame

dimineaţa tot vine şi pentru tine

chiar dacă ai ochii obişnuiţi cu lumina artificială a abonamentelor
şi niciodată nu te-ai trezit înainte să fie nevoie
chiar dacă nu ai auzit niciodată cum plâng hainele noi în vitrine

dimineaţa tot vine şi pentru tine

chiar dacă mai degrabă ai vrea să plouă să nu mai fie nimeni
altcineva pe stradă care să te recunoască şi să-ţi dea
pentru prima dată impresia că poţi să taci şi nimeni nu te mai obligă

să înţelegi că oricum
dimineaţa tot vine şi pentru tine
cu artificiile ei silenţioase

partea IV consistenţa plăcerii

te-ai gândit pe stradă că îţi mai trebuie
un pas şi aproape ai dansa te-ai gândit că fiecare lucru pe care îl vezi
este unic

de fiecare dată numai pentru tine
spărtura proastă din bordură e gata
să fie umplută de neatenţia ta

pentru unii e mai uşor dar
pentru nimeni nu e destul de uşor
şi tu te-ai gândit degeaba tot restul
este o aproximaţie

numai tramvaiul vine sau nu vine
şi chiar şi ăsta uneori vine degeaba

alteori ajunge să întinzi mâna şi
ploaia virulenţa tăcută a soarelui
            spun tot

I breathe out V a shoelace or a zipper

above the morning sky breaks into billions of coloured shoelaces
you could take this as a promise as the eroticism of space
burst out over you
it would be too much but

otherwise the textile light of the welding flame
would wrap up everything I'd be left only with
the workers by the tramline who make obscene gestures to the women-travellers

that would also be a poem or even
a morning
that you'll never see again
like a final explosion thank God

expir V un şiret sau fermoar

deasupra cerul matinal se sparge în miliarde de şireturi colorate
ai putea să iei asta drept o promisiune drept erotismul spaţiului
izbucnit peste tine
ar fi cam mult dar

altfel lumina textilă a flamei de sudură
ar împacheta tot nu mi-ar mai rămâne
decât muncitorii de lângă linia de tramvai care fac semne obscene spre călătoare

ar fi şi asta un poem sau chiar
o dimineaţă
pe care n-o s-o mai vezi niciodată
ca o explozie finală slavă domnului

all the objects into which we cram our intentions to grow close (2002)

the grass interlocutor

why shut up like a door mum—why wait
for the masterly bits of rain
to ask for the touch of sun in everything
what will they do soaking wet—and yet

leave the impression that you're certain that you know
in detail all the possible alliances
that you're ready and your silence doesn't hide anything
you breath in and if you articulate

not a word—a kind of groan a whimper
to replace the rain or even better
not replace anything—to ask
the touch of the sun and you come and say yes

---

the glossy plywood ceiling escorts me from one end to the other
of the bus I shun a matt trap door and there
you are—

there sits your sight wrapped by the safety bars
in angles
I can say—almost materially
but that wouldn't change anything
neither the games of distance
nor the kaleidoscope of restraints we keep like an exact and translucent hour

what is this man saying? you only want some amiable silhouettes

some mornings in which you don't talk anymore
                          you get dressed slowly
                              bus after bus
I don't even ask you to explain to me

as if you clap your palms above my body
from one end to the other we understand each other mostly by gestures
in a rustle of chrome close to silence

toate obiectele în care înghesuim intenţia noastră de apropiere (2002)

interlocutorul de iarbă

de ce să taci ca o uşă mâlc să aştepţi
bucăţile magistrale de ploaie
să ceară atingerea soarelui din tot
ce-au să facă leoarcă şi cu toate astea

să dai impresia că eşti sigur că ştii
din fir a păr toate apropierile posibile
că eşti gata şi liniştea ta nu ascunde nimic
tragi aer în piept şi dacă articulezi

nu un cuvânt un fel de geamăt un scâncet
care să înlocuiască ploaia sau şi mai bine
să nu mai înlocuiască nimic să ceară
atingerea soarelui şi tu vii şi spui da

---

tavanul de placaj lucios mă însoţeşte de la un capăt la altul
al autobuzului ocolesc un chepeng mat şi acolo
eşti tu

stă privirea ta cuprinsă de barele de siguranţă
în unghiuri
eu pot să zic aproape material
dar asta n-ar schimba nimic
nici jocurile distanţei
nici caleidoscopul de reţineri pe care-l păstrăm ca pe o oră exacta şi translucidă

ce spune omul ăsta? tu nu vrei decât nişte siluete amabile

nişte dimineţi în care să nu mai vorbeşti
                    să te îmbraci încet
                    autobuz după autobuz
nici nu-ţi cer să-mi explici

parcă baţi din palme deasupra corpului meu
de la un capăt la altul ne înţelegem mai mult prin gesturi
într-un foşnet de crom vecin cu liniştea

---

you talk colours wear sounds breathe objects
our worship doesn't accept anymore but unpredictable beings

a vegetal mandible a rod of crystal liquid
at the margins of my touch

phosphorescent

your breathing rediscovers them
intermittently utters them
the smoky rock of ambiguity

in the morning

and more than 1.000 other handicrafts
that can replace the distance

---

surely—I'd convince you eventually
that to one side there's just air and a varied density of a wooden material
you could even enjoy
the terrible resemblance of the contorted stems to the city map
as you imagine your steps draw it once you've left the house

you walk slowly
this is of no importance
you're there and
the point of support for you then—appears to be the air
all the exultation the walls show

ready to receive the hallucinating flower-pots of gestures
where do you go where do you stay where do you imagine you can arrive
you really can't merge with the motley faience boards

sounds swallow everything and this is their glamour

---

spui culori, porţi sunete respiri obiecte
adoraţia noastră nu mai acceptă decât fiinţe imprevizibile

o mandibulă vegetală o vergea de cristal lichid
în capetele atingerii mele

fosforescente

ţi le regăseşte respiraţia
le rosteşte intermitent
roca fumigenă a neclarităţii

dimineaţa

şi încă mai mult de 1.000 de-obiecte artizanale
care pot să înlocuiască distanţa

---

sigur, te-aş convinge până la urmă
că într-o parte nu este decât aer şi o variată densitate a unui material lemnos
ar putea chiar să-ţi placă
asemănarea teribilă a tulpinilor contorsionate cu harta oraşului
aşa cum îţi închipui că o desenează paşii tăi odată ce ai ieşit din casă

mergi încet
asta nu are importanţă
eşti acolo şi
punctul de sprijin pentru tine atunci ţi se pare că ar fi aerul
toată exultarea de care dau dovadă pereţii

gata să primească glastrele halucinante ale gesturilor
unde te duci unde rămâi unde îţi închipui că poţi să ajungi
chiar nu poţi să te confunzi cu plăcile pestriţe de faianţă

sunetele înghit tot şi din cauza asta se resimt

a complete touch

in motley streets I've always learnt a certain fear of understanding
      among the sweaty
                almost silent bodies
      filled only with the joy of open shirt collars

why not say that I forget everything that I wake up
I talk about weather when to me it seems
                that I swear or say pretty please
let the noise stop—let's listen only
to the fragile sound of the salivary percussion and the diluted voice

the uncertain shape you place in each corner of the room
here in the street
          SURELY I talk about a space of the mind
      filled with apples and cherry couches
when my feet are cut with exhaustion
in the middle of the street and you feel you can't articulate one more word
your tongue swallows like a living sponge
              and all objects get a kind of diffuse shining

nobody owns more than the uncertain shape of breathing
                    for a while—
then, instead of discourse, you prefer a light noise
made by a body
        a finger snap
           the sonorous touch of hair

#

the sparkles of cotton
      found in the skin by the cloth of new shirts
other times SURELY
           you enjoy some dull words—
      with their precise surgical sense nobody loses anything

only the craving grows—for a series of silences to replace our shy actions
I speak slowly I allow place I use THE WHITE HARMONICA of muteness
—see our ID-s
        my hand reaching for a glass of water
we sit on the sidewalk

o atingere completă

pe străzi pestriţe am învăţat mereu o anumită frică de înţelegere
între corpurile transpirate aproape tăcute
pline doar de veselia unor cămăşi deschise la gât

de ce să nu spui că uit tot că mă trezesc vorbesc
despre vreme când mie mi se pare că înjur sau că rog frumos
să se oprească zgomotul să ascultăm numai
sunetul fragil al percutiei salivare şi vocea diluată

forma nesigură pe care o pui în fiecare colţ al camerei

aici pe stradă SIGUR vorbesc despre o cameră a minţii
plină de mere şi canapele vişinii când mi se taie picioarele de oboseală
în mijlocul strazii şi ai impresia că nu mai poţi să articulezi nici un cuvânt
limba ţi se umflă ca un burete viu şi toate obiectele primesc un fel de strălucire difuză

nimeni nu are mai mult decât forma incertă a respiraţiei
pentru o vreme atunci preferi discursului un zgomot
uşor făcut de corp un pocnet din degete atingerea sonoră a părului

#

scânteile de bumbac găsite în piele de pânza cămăşilor noi
alteori SIGUR că te bucură nişte cuvinte terne
cu puterile lor precise şi chirurgical nimeni nu pierde nimic

creşte numai pofta ca o serie de tăceri să înlocuiască faptele noastre timide
vorbesc încet fac loc folosesc MUZICUŢA ALBĂ a muţeniei
vezi actele de identitate mina mea întinsă după un pahar cu apă
stăm pe trotuar aşteptăm autobuzul râd cu toate feţele posibile

de la o vreme nici nu mai suportăm să ne cerem numerele de telefon

we wait for the bus
      I laugh with all possible faces

for some time now
      we can't even handle asking for our phone numbers

descriptions promises we'd be silent
      our tongues splendidly thrust in the air
we'd say we know each other and other crap
—there you are
      in a very manlike moment
      almost human but not yet alone
I have just what you need
      the refined sun that doesn't mouth dreams anymore

and scatters the serene pellicle of touch
      with the full corpulent thoughts
      with DESIRES—
In just one fraction of a second
      clarity wraps up your articulations—asks for no answer

#

nobody owns more than the uncertain shape of breathing
      for a while
the sight records the hardness of the eye—just as hard as to still allow
enough space
      for obscure flesh that'll be the past

We could coil up again one in the other
even if
we don't believe in such simple actions anymore—in whose mind
do you think you move and
          if you say mind
              say hands spine tissues

circulatory lymphatic system—an evening like any other
              unique

from which the rest of us are taken towards a sure volatilization
like touching hands for instance
from which you read the breathing

descrieri promisiuni am tăcea cu limba splendid înfiptă în aer
am spune că ne cunoaştem şi alte tâmpenii / acolo tu
într-un moment foarte uman aproape omenesc dar nu încă singur
am exact ce îţi trebuie soarele fin care nu mai povesteşte visele

şi presară pelicula serenă a atingerii / cu gândurile corpolente pline
cu DORINŢE numai numai într-o fracţiune de secundă
claritatea ţi se înfăşoară la încheieturi nu cere nici un răspuns

#

nimeni nu are mai mult decât forma incertă a respiraţiei
pentru o vreme privirea primeşte imprimă
duritatea pe care ochiul o are încât poate să cedeze

atât cît trebuie spaţiu cărnii obscure care o să fie trecutul
am putea să ne strângem iarăşi unii în alţii chiar dacă
nu mai credem în asemenea fapte simple tu în mintea cui crezi
că te mişti şi dacă spui minte spune mâini coloană vertebrală ţesuturi

sistem circulator limfatic o seară ca oricare alta unică

din care restul suntem duşi într-o volatilizare sigură
cum ar fi atingerea palmelor de exemplu
din care citeşti respiraţia te mişti încet
nu mai mult de câţiva centimetri

spaţiul tău în care înfloresc pomii din mintea ta
fructele străpung aerul plin de lumina agripantă a serii
în sfârşit mută cu soarele gata să mă primească

you move slowly
not more than just a few centimetres

your space in which the trees in your mind blossom
the fruits pierce the air full with the trailing light of the evening
finally mute—with the sun ready to receive me

stars speak your language

A romanian body is the other one
to whom you transfer everything you are
In school we all had a cousin
who had seen

who had been—he was the romanian body
of each of us—he
he does luxury hands trafficking—of each of us
like a duty like a possibility—
the same for every fear of our nape fluff

one by one or several that you dream in—and
the dream is what you do

since you wake up till late evening

In a very clear moment when
my phonetic sound covers everything with a breeze of touches

one by one or several—tongue thrust in the air
our duty is pleasure

Above the roof of the mouth stars rise one by one

stelele vorbesc pe limba ta

un corp românesc este celălalt
căruia îi transferi tot ce eşti
la şcoală toţi aveam un văr
care văzuse care făcuse era corpul românesc
al fiecăruia dintre noi
face trafic de maşini de lux al fiecăruia
dintre noi ca o datorie ca o posibilitate
acelaşi pentru fiecare frică a pufului nostru de pe ceafă

câte unul sau mai mulţi în care visezi şi
visul este ceea ce faci de când te trezeşti până seara târziu

într-un moment foarte clar când
umbra mea fonetică se lasă peste tot cu o briză de atingeri

câte una sau mai mulţi cu limba înfiptă în aer
datoria noastră e plăcerea pe cerul gurii stelele apar una după alta

romanian bodies (2005)

long play

we meet in the streets
                    each with his sorrows
                    brought from home
on your mouth you wear the barcode of your joy and
all we say to each other
                    gives us something to do

each of us finds billions of ways
we could be happy, couldn't we?
some wish for silence—others, we settle for the athletic power
to keep silent

          not for long—and
                    especially
                    who is this air able to inhabit us

not for long—and
especially
          we own worlds where we're filled with objects
          and the sun rises precisely above our heads
the gesture—just like a smooth warm rain
          touched by the threads of your breath
waits for a very short time

where is the difference between the real things
and all that happens in your mind
perhaps between the shoulders bumping in the street and hardly taking
the blind promises of fear anymore—so they deny them
with every movement and
further
as far as you can

we choose to see or
                    even better
                              suppose
—breathing is an absolutely personal decision

corpuri româneşti (2005)

lent

ne întâlnim pe stradă fiecare cu tristeţile lui
aduse de-acasă pe gură porţi bara de coduri a bucuriei tale şi
tot ce ne spunem ne dă de lucru

fiecare din noi găsim miliarde de feluri
în care am putea să fim fericiţi, nu-i aşa?
unii vrem liniştea alţii ne mulţumim cu puterea
atletică de a tăcea

nu pentru mult timp şi
mai ales
cine este acest aer în stare să ne înlocuiască

nu pentru mult timp şi
mai ales
avem lumi în care suntem plini de obiecte
şi soarele ajunge fix deasupra creştetelor noastre
gestul cât o ploaie netedă
caldă atins de firele respiraţiei tale
aşteaptă foarte puţin

unde este diferenţa dintre lucrurile reale
şi tot ce se întâmpla în mintea ta
poate între umerii care se lovesc pe stradă şi abia mai suportă
promisiunile oarbe-ale spaimei şi le neagă
cu fiecare mişcare şi
mai departe
cât poţi

alegem să vedem sau /şi mai bine/ bănuim
respiraţia este o hotărâre absolut personală
care din când în când potriveşte liniştea cu un clic

o lume după sufletul tău care sunt mişcările tale
după sufletul meu care este gestul meu continuu
după chiar sufletele fiecărui gest o lume

which
            from time to time
                        fits the silence with a click

a world to your soul—which is your movements
towards my soul—which is my continuous gesture
to the very soul of every gesture—a world

you wish to see the street corner early morning
when you still can be in no hurry
—the bread trolleys are calmly being pushed into small shops

we are led by the link between us
            the link commercials call life
with your eyes you can see—even a bit blinded by clarity
            we get along with breathing
                        and its tonalities
            they can contain anything

long play

let's not say nasty things to each other
One night
                I'd have rather got home faster
I was listening to my breath while walking down the street

something stronger was the taste that got stuck to my teeth
still willing to return to the fresh inverted skin
                                    I drank cup after cup

shoes tightened on my soles with pleasure
it almost hurt and my breath kept repeating the same thing over again
I was processing the air
                    I could have got scared
all the houses were further and further
                                I could have used
                                at least one stain on my shirt
                                of that coffee that kept us face to face

It's very late and clothes start to gleam more and more obviously
air

ai vrea să vezi colțul străzii dis de dimineață
când încă mai poți să nu te grăbești
cărucioarele de pâine sunt împinse lejer spre magazinele mici

ne conduce legătura pe care o avem între noi
legătura pe care anunțurile publicitare o numesc viață
cu ochii tăi vezi chiar puțin orbit de claritate
ne înțelegem cu respirația și tonalitățile ei
pot să conțină orice

lent

hai să nu ne spunem lucruri urâte
într-o seară aș fi preferat să ajung mai repede acasă
îmi ascultam respirația în timp ce mergeam pe stradă

ceva mai puternic era gustul care-mi rămânea lipit de dinți
încă dornic să se întoarcă la pielea întoarsă proaspătă
pe care o sorbeam ceașcă după ceașcă

pantofii se strângeau pe tălpile mele de plăcere
aproape mă durea și respirația repeta mereu același lucru
prelucram aerul ar fi putut să mi se facă frică
toate casele erau tot mai departe ar fi prins bine
măcar o pată pe cămașă din cafeaua aia care ne-a ținut fața în fața

este foarte târziu și hainele încep să strălucească din ce în ce mai tare
aerul îmi filtrează por după por
un plămân și-apoi imediat celălalt

după asta poate să urmeze orice și într-o clipă
luminile de pe stradă se sting și se aprind la loc

filters me pore by pore—
one lung and then immediately the other

After this anything can follow
                              and in one moment
street lights go out and on again

long play

perhaps I lack money
                    perhaps
traces of an archaic affection still give me the shivers
between two movements in the transport means
when waiting presses your temples
and like a stomachache
                    you discover that by yourself you handle the same way
                    the shakings of uncertainty

you find them like common sensations among dozens of ordinary feelings—
          the simple desires of touching
                    and the silence

you'll stay here for a while
                    your mind completely relaxed—
any misunderstanding is just an invention
as useless as it can be—but it's the same with understanding

This afternoon when I keep silent and
air gets slowly slowly stuck to my skin
could be
          is enough

lent

poate ca îmi lipsesc banii poate
urmele unei afecţiuni arhaice încă îmi mai dau frisoane
între două mişcări în mijloacele de transport
când aşteptarea îţi presează tâmplele
şi ca o durere de stomac descoperi că şi singur suporţi la fel
scuturările nesiguranţei

găseşti ca o senzaţie oarecare între zeci de stări obişnuite
dorinţele simple-ale atingerii
şi tăcerea

o să stai puţin aici
cu mintea complet relaxată
orice neînţelegere e numai o invenţie
cât se poate de inutilă — da' la fel este şi înţelegerea

după amiaza asta în care tac şi
aerul se prinde încet încet de pielea mea
ar putea să fie este destul

long play

why wouldn't you tell me about posterity
about the attention that redeems everything
even a life spent selling piece by piece everything you are

Shiny shops don't know about posterity
                 and we
                         Mystics of the light
                                    are nothing but shiny shops
their perfumed shadows sprawled in the sliding door rail

our soles clearly articulate
                 on a highway like a language
                                 that knows no outside no inside:

nobody ever died
        Only
that you might feel like not seeing yourself anymore
        —while dead men
                 are some guys who imagine that others
                                  completely others but them
                 live

Apart from this—wind minds its own business with our hands

We long for them one by one
           latest kind
           of breathing and the success of silence in action—exhausted
                 forms of relaxation
                 getting to an end
And there you are
                   —ready to receive anything anything anything
                   including the success
                   of your gestures
                              exposed like a wrist with no tattoo

lent

de ce nu mi-ai spune de posteritate
de atenția care răscumpără tot
chiar și o viață în care vinzi bucată cu bucată tot ce ești

magazinele lucioase nu știu de posteritate și noi
Misticii luminii nu suntem decât niște magazine lucioase
cu umbrele parfumate tolănite în șina ușilor glisante
tălpile noastre-articulează clar pe o șosea ca o limbă
pentru care nu există nici afară nici înăuntru:

nimeni n-a murit niciodată doar
că poți să ai chef să nu te mai vezi pe când morții
sunt niște inși care își închipuie că alții cu totul alții decât ei trăiesc

în rest vântul își face treaba cu mâinile noastre

îți dorești unul după altul ultimul tip
de respirație și reușita liniștii în acțiune, formele
obosite-ale relaxării să ajungă la capăt și acolo tu
gata să primești orice orice orice inclusiv reusita gesturilor tale
expuse ca o încheietură pe care nu se vede nici un tatuaj

pain is a foreign language

a romanian body knows not to make choices—it seems like
     then
           it couldn't justify its comfortable pains anymore

For this—stay here
        be late with all your body
     you can be a key chain or a sticker
and one day all the breathing music will disappear
by itself

or the opposite

with my hands prepared
to receive silence like a sandwich—I waited in the bus station
until I felt like crying

the air tasted like fresh leaves.
I'd prepared everything
     men had taken their positions
I just had to watch the ultraquick hoards of the evening
     they were considering which part of me they should consume first

They couldn't believe it when I stood up
          completely relaxed
to mind my own business
in my native language
       as if on a skateboard

durerea e o limbă străină

un corp românesc ştie să nu aleagă i se pare
că atunci n-ar putea să-si mai scuze durerile comode

pentru asta stai aici întârzie cu tot corpul tău
poţi să fii un breloc sau un abţibild
şi într-o zi toată muzica respiraţiei o să dispară
de la sine

sau invers

cu mâinile pregătite să primească liniştea
ca pe un sandviş am stat în autogară
până mi-a venit sa plâng

aerul avea gustul frunzelor proaspete
pregătisem tot; oamenii erau la locul lor
nu aveam decât să privesc hoardele ultra-rapide ale serii
se gândeau ce bucată din mine să consume mai întâi

nici nu credeau când m-am ridicat cu paşi liniştiţi
să-mi văd de treabă
în limba mea maternă ca pe un skateboard

ZVERA ION

Zvera Ion was born in Bucharest in 1981 and studied Romanian and English in the Literature Department, University of Bucharest.

She is part of Letters 2000 and Euridice literary circles.

Her books include *The coffee child* (Vinea, 2000) which won the Bucharest Writers' Association debut award, and *acetone* (Carmen underground series, 2002; 2nd edition Vinea, 2004).

Currently, she studies in the Theatre Directing Department, at the Theatre and Movie Academy in Bucharest.

e-mail: acinovera@yahoo.com

ZVERA ION

acetone (2004)

I.

I know I'll fall asleep boredom has me by the throat—it
wears a light shirt, perverted,
it kisses me at the base of the neck and I don't know
who it is I swear I had no
idea I know I'll fall asleep—sleep is in my veins

*

yes sleep did come
I dreamt I had a baby but in the entire dream the baby was
the only one I didn't see and that
didn't worry me too much—now
morning gets built with its iron feet around
me—I was usually glad, today it seems
it rains and its iron feet draw my thoughts up

(...)
everything—
the fear strained into it but
nothing more phony than this word—
"fear", her sticky tongue freezing your veins

*

everything, and your thoughts about
how it would be, about how would it be to break up one
morning between the rusted wheels of the train
that a dog just pissed on
as if somebody had put
his huge signature
on the most sensitive arteries of our voices

acetonă (2004)

I.

știu că o să adorm plictiseala mă strânge de gât ea
poartă o cămașă subțire, perversă,
mă sărută la rădăcina gâtului iar eu nu știu
cine e jur că n-aveam
idee știu că o să adorm somnul e în vene

*

da a venit somnul am visat
că aveam un copil dar în tot visul copilul era
singurul pe care nu îl vedeam și asta
nu mă neliniștea prea tare acum
dimineața se construiește cu picioarele ei de fier în
jurul meu de obicei mă bucuram, azi se pare
că plouă și picioarele ei de fier îmi trag gândurile în sus.

(...)
tot—
frica strecurată în el dar
nimic mai mincinos decât acest cuvânt—
"frica" limba ei cleioasă înghețându-ți venele

*

tot, împreună cu gândul tău despre
cum ar fi despre cum ar fi să ne despărțim într-o
dimineață între roțile ruginite ale trenului
pe care tocmai s-a pișat un câine
ca și cum cineva și-ar fi pus
semnătura lui uriașă
pe cele mai sensibile artere ale vocilor noastre

*

ashtray. movie shown on the ceiling and
ashtray at hand
my nape stiff
thousands and thousands of needles—you try to say afterwards that
you've understood it all but
who's here to believe you who else
has seen this movie
with you

*

all the doors we've opened / closed
all the zippers all the snaps sluggishly pop
one by one.
you'd say it rains. what nostalgia
the word "all" gives to you and how you long for
nostalgias to bring you back that mysterious air that makes people
turn after you in the street.

plus the clear idea that you know very well what's to be done
what you must do. and then, like a coward, halting after a corner, where nobody
sees you anymore, you light up a cigarette and don't know where to head for.

*

Sunday evening—that's when it's really lonely Sunday evening
means the most pure, one hundred percent loneliness so
clearly that your body gets cold slowly slowly
but I'm putting on makeup, but I'm not giving in

*

when you start to remember what you dreamed about, when for
instance I dreamed that you were my country dog
that died two years ago, and on
the one side this thing is so relaxing, I walk all day long with the fixed idea that it is

good to dream—relax, take your time
somebody barks at your side every night, I begin to feel pain
in the bones from this age I don't know what to do but
when so many things you think about yourself
add up, even walking seems to change, walking in the street
among people—we are all people now and we think, we think

*

scrumieră. film proiectat pe tavan şi scrumieră
la îndemână
ceafa înţepenită mii şi mii de ace încerci să spui după aia că
ai înţeles tot dar
cine e aici să te creadă cine
a mai văzut acest film
împreună cu tine

*

toate uşile pe care le-am deschis-închis
toate fermoarele toate capsele pocnesc încetişor
una după alta.
ai zice că plouă. ce nostalgie
îţi dă cuvântul "tot" şi cum tânjeşti după
nostalgii care să-ţi aducă înapoi aerul acela misterios care face oamenii
să se uite după tine pe stradă.

plus ideea clară că tu ştii foarte bine ce ai de făcut
ce trebuie să faci. şi apoi, ca un laş, oprindu-te după colţ unde nu te
mai vede nimeni îţi aprinzi o ţigară şi nu ştii încotro s-o iei.

*

duminică seara atunci e singurătate duminică seara
înseamnă cea mai pură sută la sută singurătate atât
de clar încât ţi se răceşte încet încet trupul
dar eu mă fardez dar eu nu mă las

*

când începi să îţi aduci aminte ce ai visat când de
exemplu eu am visat că erai câinele meu de la ţară
care a murit acum doi ani şi pe
de o parte lucrul ăsta e atât de liniştitor merg toată ziua cu ideea fixă că e

bine să visezi stai liniştită take your time
cineva latră în fiecare noapte lângă tine încep să mă doară
oasele de la vârsta asta nu ştiu ce să fac dar
când se adună atâtea lucruri pe care le gândeşti
despre tine parcă şi mersul se schimbă mersul pe stradă
printre oameni acum toţi suntem oameni şi ne gândim ne gândim

*

long teeth / manured teeth—teeth
thrust into the most luminious part of
the day like into the buttocks of a four-year-old
child that you've taken out of the house
today, in one of the free
afternoons at the beginning of spring

*

somebody talks on the edge of my bed every morning
I don't know who it is—it speaks clearly and distinctively

speaks clearly on the edge of the bed and has feet cold
as ice white cold with his soles placed on the carpet one
by one toes making up a crown a
sort of crown of — I'd say — shrivelled nails I never
never never think about it

(...)
listen, the water's dripping slowly in the sink, it has more
pressure in the morning than at night, the water through which
your fingers seem longer than in reality
and next to which you don't feel embarrassed to undress
the water gets into your eyes and your nose and your mouth, the water
kisses you with its tongue as if it were a woman
she's the one you're in need of, when you feel so
stinking lonely

*

I seem to be slipping and I'm not slipping at random,
it seems to be a compound
            between my slipping and the slipping

of all things around me
and in this compound life unwraps

I take my pants off slowly
I realize it's evening by the fact that
I take my pants off so slowly

*

dinţi lungi dinţi bălegoşi dinţi
înfipţi în partea cea mai luminoasă a
zilei ca în bucile unui copil de patru
ani pe care l-ai scos din casă
azi, într-una din după-amiezele
libere de început de primăvară

*

cineva vorbeşte pe marginea patului meu în fiecare dimineaţă
nu ştiu cine e vorbeşte clar şi distinct

vorbeşte clar pe marginea patului şi are picioarele reci
ca gheaţa albe reci şi cu tălpile aşezate pe covor una
lângă alta degetele formând o coroană un fel de
coroană aş zice de unghii scorojite nu mă
gândesc niciodată niciodată niciodată la el

(...)
ascultă, apa picură uşor în chiuvetă, are mai multă
presiune dimineaţa decât noaptea, apa prin care
degetele tale se văd mai lungi decât în realitate
şi lângă care nu ţi-e ruşine să te dezbraci
apa îţi intră în ochi şi în nas şi în gură apa
te sărută cu limba de parcă ar fi o femeie
ea e cea de care ai nevoie când te simţi atât
de împuţit de singur

*

mi se pare că alunec şi nu alunec oricum,
mi se pare că e o împreunare
între alunecarea mea şi alunecarea

tuturor lucrurilor pe lângă mine
şi în această împreunare se desface viaţa

îmi scot încet pantalonii
îmi dau seama că a venit seara după faptul că
îmi scot atât de încet pantalonii

263

and yet I seem to get dizzy
I don't know what to do—if I were not to slip anymore I'd
feel maybe much better
I don't need all this metaphysics crap
I wish to get in bed and sleep,
I have friends who do drugs, I
do drugs.
maybe for those it's easier but I'll never
enter the withdrawal state and never the moment of full breathing
after you quit. you understand, I don't need to explain I'm not talking
about illicit substances but just about the brain

*

your hand cold on my neck I was asleep and your hand cold on my neck I should
hate you for these things and then when
I wake up you're nowhere anymore.

(...)
      an ad in the paper or anything else.
I can replace anything with anything. you're cold and
chaste, my feet are freezing when I want to
get out of bed in the morning, somebody continuously speaks
on a monotonous voice somewhere near me. it teaches me how
to speak. it saves me. the acetone bottle on the desk
      sparkles in the sunlight.

(...)
look at this, he says, it's like we were at the theatre! you've
got a damn small room and...
I didn't hear further, I was thinking of something amazing,
something one shouldn't be thinking about, something
you can't pronounce

(...)
I pull the socks over my ankle and further,
over my ankle and further, over my knees and
further.

*

şi totuşi mi se pare că ameţesc
nu ştiu ce să fac dacă ar fi să nu mai alunec m-aş
simţi poate mult mult mai bine
n-am nevoie de toată porcăria asta metafizică
aş vrea să intru în pat şi să dorm,
am prieteni care se droghează, şi eu
mă droghez. rimă în aterizez, în decolez.
poate pentru ăia e mai uşor dar pentru mine nu va
exista niciodată sevrajul şi niciodată clipa de respiraţie plină
după ce te-ai lăsat. înţelegi, nu trebuie să dau explicaţii nu vorbesc
despre substanţe interzise ci doar despre creier

*

mâna ta rece pe gât dormeam şi mâna ta rece pe gât ar
trebui să te urăsc pentru chestiile astea şi apoi când
mă trezesc nu mai eşti nicăieri.

(...)
        un anunţ în ziar sau orice altceva.
pot înlocui orice cu orice. tu eşti rece şi
cast, mie îmi îngheaţă picioarele când vreau să
cobor dimineaţa din pat, cineva vorbeşte încontinuu
cu o voce monotonă undeva lângă mine. mă învaţă să
vorbesc. mă salvează. sticla cu acetonă de pe birou
        străluceşte în lumina soarelui.

(...)
ia te uită, zice el, parcă suntem la teatru! ai
o cameră al naibii de mică şi...
n-am auzit mai departe, mă gândeam la ceva uluitor,
ceva la care n-ar trebui să te gândeşti, ceva pe
care nu poţi să-l spui

(...)
îmi trag şosetele peste gleznă şi mai departe,
peste gleznă şi mai departe, peste genunchi şi mai
departe.

*

265

I lay next to the pillow. nothing. look at this, it's like we were at the theatre, with the letter "a" stretched, at the theaaatre, yes. somebody talks on the edge of the bed. you're not here. the phone is flaked, chipped. my nails could use some gloss.

*

he was standing proud, he had bought a cactus, had drunk
a beer, had made love, he was what is called handsome,
a lady whispered at his ear how one tends
to plants. the bus rocked—not very stormy.
the way I was smiling the way what is called
lips reproduced a smile the way in which hands
clutched through the bag—or better the fingers, yes, the fingers
were grasping the handle of the bag without understanding why, and the mind
suddenly emptied, and the body, like a lifeless extension of the mind,
        and the scent of gas in the air

*

I can't get undressed anymore. something doesn't fit.

*

when he comes to me when he rings the doorbell when
joyous as if he'd caught the bus
now when the last bus comes at night
        ready to get him home — the last bus
ready to wipe out with a sponge
what has happened today
the wheels roll and
all that was so clear in your head turns
slowly slowly into memory the wheels roll and
your nostrils bloat—after all, you think,
        I'm just the air I breathe nothing more
and inside you the air makes space
pushes the things you've filled yourself with today
pushes them until
it gets them out through the skin until
it turns them into sweat—the wheels roll and your hand
heads like the head of a snake towards the space
between neck and shoulder
the space on my body that in this moment
behind the door in front of which you stopped

mă aşez lângă pernă. nimic. ia te uită, parcă suntem la teatru,
cu litera "a" lungită, la teaaatru, da. cineva vorbeşte pe marginea
patului. tu nu eşti aici. telefonul e scorojit, ciobit. unghiile
mele ar avea nevoie de lac.

*

el stătea mândru, cumpărase un cactus, băuse
o bere, făcuse dragoste, era ceea ce se cheamă frumos,
o doamnă îi şoptea la ureche cum se îngrijesc
plantele. autobuzul se legăna nu foarte tare.
felul în care zâmbeam felul în care ceea ce se cheamă
buze reproduceau un surâs felul în care mâinile
crispate prin plasă mai bine zis degetele, da, degetele se
strângeau pe mânerul pungii fără să înţeleg de ce, şi mintea
dintr-o dată golită, şi corpul ca o prelungire fără viaţă a minţii,
  şi mirosul de benzină în aer

*

nu pot să mă mai dezbrac. ceva nu se leagă.

*

când o să vină la mine când o să sune la uşă când bucuros
de parcă ar fi prins autobuzul acum când vine noaptea ultimul autobuz
gata să-l ducă acasă ultimul autobuz gata să şteargă cu buretele ce s-a
întâmplat azi
roţile merg şi tot ce era aşa clar în capul tău se transformă
încet încet în amintire roţile merg şi nările tale se umflă în fond gândeşti
sunt doar aerul pe care îl respir nimic mai mult şi în tine aerul face loc împinge
lucrurile cu care te-ai umplut azi le împinge până le trece prin piele până le transformă
în transpiraţie roţile merg şi mâna ta se îndreaptă ca un cap de şarpe spre
locul
dintre gât şi umăr locul de pe trupul meu care în acest moment
  în spatele uşii la care te-ai oprit

(...)
I am I really am cautious with everything
that surrounds me I'm cautious and calm and
impossible to corrupt, your breathing goes
sometimes through me, staggering, sharp
and I don't say anything—then, I get dressed
with care I get out of the house I lock the door well

(...)
knocks in the lower part of the windowpane. I tap
with my finger. peaceful music inside the temples. I measure.
everything is ok. we have money. I lay the bed—from inside it a
strange sleepy noise that I forget
so quickly

(...)
your heartspill would have healed, he tells you
you would have healed and the moon would have shone round in the corner
of the window the room would have rocked gently like a boat.

*

and if if if I were to build a
gate. a gate, a gate of my soul,
a gate of its own and only its own. if i were to build it, i'd build it. it
would open into the cleanest part of the body and
everything would pass towards you through it.

(...)
sunt sunt cu adevărat atentă la tot
ce mă înconjoară sunt atentă şi calmă şi
imposibil de corupt, respiraţia ta trece
câteodată prin mine ameţitoare tăioasă
şi atunci nu spun nimic, mă îmbrac
cu atenţie ies din casă încui bine uşa

(...)
lovituri în partea de jos a geamului. bat
cu degetul. muzică liniştită în tâmple. măsor.
totul e ok. avem bani. fac patul, din el un
zgomot ciudat adormitor pe care îl uit
atât de repede

(...)
te-ai fi vindecat de scurgerile inimii tale îţi spune
te-ai fi vindecat şi luna ar fi strălucit rotundă în colţul
ferestrei camera s-ar fi clătinat uşor ca o barcă.

*
şi dacă dacă dacă ar fi să fac o
poartă. o poartă, o poartă a sufletului meu,
o poartă a lui şi numai a lui. dacă ar fi s-o fac, aş face-o. ea
s-ar deschide prin partea cea mai curată a trupului şi
totul ar trece spre tine prin ea.

II.

(...)
or when evening comes it's not hard at all to imagine that this is
the right way
you understand—the pillow the head the sleep the headboard the ceiling
the bookcase the tossing from one side to the other the laid bed-sheet this I think
is the right way to have a life etc etc but on the other side
of the sleep
       like in horror books
            there are dreams—not nightmares not cheap
stuff, no, on the other side it's you in a small luminous room as if
you stoutly wanted to send me to hell and again I wake up and we start all over

*

somebody washes my hands

(...)
sometimes it's noisy, sometimes it's silent.
the noise is conciliatory you could almost
touch it. you enter it like sleep and it screams inside you. a billion little
mechanical toys spinning banging their heads underneath the skin. one is
            mom,
one is dad, one is the morning windowpane pulverized by cars.

          the living-room full of plates. each of them has a name. one plate
is mom, one plate is dad, one plate is monday tuesday wednesday and
so on. the noise is so good it
supports you it warms you up it takes you further.

(...)
I'm not clear. I don't want to be.
I make tea, I sip it and I watch my hands.
now I'm alone. the house murmurs something,
I could remember us, everybody,
reasonable memories that keep you
going—as it always
happens when you're not strong enough,

II.

(...)
sau când vine seara nu e greu deloc să îmi închipui că ăsta e
drumul cel bun înţelegi perna capul somnul tăblia patului tavanul
dulapul cu cărţi răsucitul de pe o parte pe alta cearşaful întins ăsta cred
eu că e drumul cel bun ca să ai o viaţă etc etc dar de partea cealaltă
a somnului ca în cărţile de groază stau vise nu coşmaruri nu chestii
ieftine, nu, de partea cealaltă stai tu într-o cămăruţă luminoasă ca şi cum
ai ţine morţiş să mă trimiţi la dracu şi iar mă trezesc şi o luăm de la capăt

*

cineva îmi spală mâinile

(...)
câteodată e zgomot, câteodată e linişte.
zgomotul e împăciuitor aproape ai putea să-l
atingi. intri în el ca în somn şi el ţipă în tine. un milion de jucărioare
mecanice rotindu-se dându-se cap în cap pe sub piele. una e mama,
una e tata, una e geamul de dimineaţă pulverizat de maşini.

 sufrageria plină de farfurii. toate au nume. o farfurie
e mama, o farfurie e tata, o farfurie e luni marţi miercuri şi
tot aşa. zgomotul e atât de bun te
sprijină te încălzeşte te duce mai departe.

(...)
nu sunt clară. nu vreau să fiu.
fac ceai, îl sorb şi îmi privesc mâinile.
acum sunt singură. casa murmură ceva,
mi-aş putea aduce aminte de noi, de toată lumea,
amintiri rezonabile care te ţin pe linia de
plutire aşa cum întotdeauna
se întâmplă când nu eşti destul de puternic,

minimized images humming like engines that you
                    swallow by handful, small engines
that move the blood forwards backwards. words told yesterday the day
                    before yesterday
phone messages everything to slowly translate this state into something
                    absolutely
natural I sit I drink tea I write I'm surrounded by thoughts.

(...)
he bursts into the room. I couldn't find
a better word sometimes love is so alike
                    that you can replace it with anything else—but his bursting
into the room leaves marks deep marks he
bangs the door on the wall and stumbles and he
falls over me

as if it were a trap, ha. you've
set
me a trap your body—warmed up
especially for fallings

imaginile micşorate vuind ca nişte motoare pe care le
înghiţi cu pumnul, nişte motoraşe
care mişcă sângele înainte înapoi. cuvintele spuse ieri alaltăieri
mesaje pe telefon totul ca să traduc încet starea asta în ceva absolut
firesc stau beau ceai scriu sunt înconjurată de gânduri.

(...)
el năvăleşte în cameră alt cuvânt mai bun
n-aş putea găsi uneori dragostea e atât de la fel
 încât o poţi înlocui cu orice altceva dar năvălitul
lui în cameră lasă urme urme adânci el
dă cu uşa de perete şi se împiedică şi
cade peste mine

parcă ar fi o capcană, ha. mi-ai
pregătit
o capcană trupul tău încălzit
special pentru căderi

III.

(...)
if you put a cricket next to a
nokia telephone
and they start talking
this is the future—if you are alone for st valentine's day
call somebody the future's bright
your words are bright in a room full of
people who smile at you and drool a bit
but just a bit
only a loser a beggar would notice how
everybody spits or simply drools
but this is the secret sign I'm not allowed to talk about

*

I'm waiting. my hands are swelling or it's just me. when
you watch them too much they become weird and
totally different from now somebody's playing
music in a corner of the brain I'm made
of pieces and this is no news, no
news, I'm beautiful. how beautiful you are, you.
how beautiful.

*

the downfall will not happen as some imagine
sometimes when I realize I put an end and watch
the fall I watch it with other eyes and I want to
scream it's there nobody can put their hands on it

*

but love will save us it warms the heart when
the heart is cold it makes you not lie anymore not talk
to the fucking dead not spit in the street anymore
I know all these I know it changes us makes us better
plants us trees in the soul but when you can no longer be
alone you're ashamed you need it and that it doesn't
matter anymore do you get it—it doesn't matter who
it may be anybody anybody is the one you've been waiting for and your salivas
mix and

III.

(...)
dacă pui un greiere lângă un
telefon nokia
şi încep să stea de vorbă

ăsta e viitorul dacă eşti singur de valentine's day
sună pe cineva viitorul sună bine
vorbele tale sună bine într-o încăpere plină
de oameni care îţi zâmbesc şi salivează puţin
numai puţin doar un looser un neserios ar
observa cum fiecare scuipă sau pur şi simplu salivează
dar ăsta e semnul secret despre care n-am voie să spun

*

aştept. mâinile mi se umflă sau mi se pare. când
te uiţi prea mult la ele încep să devină ciudate şi
cu totul altfel decât până acum cineva pune
muzică într-un colţ al creierului sunt făcută
din bucăţi şi asta nu e o noutate, nu e o
noutate, sunt frumoasă. ce frumoasă eşti, mă.
ce frumoasă.

*

căderea nu se face aşa cum îşi închipuie unii eu
uneori când îmi dau seama pun stop şi mă uit la
cădere mă uit la ea cu alţi ochi şi îmi vine să
ţip e acolo nimeni nu poate pune mâna pe ea

*

dar dragostea ne va salva ea încălzeşte inima când
inima e rece ea te face să nu mai minţi să nu mai vorbeşti
cu morţii mă-sii să nu mai scuipi pe stradă
eu ştiu toate astea ştiu că ea ne transformă ne face mai buni
ne plantează pomi în suflet ai nevoie de ea şi nu mai
contează înţelegi nu mai contează cine
poate fi oricine oricine e cel pe care îl aşteptai şi saliva
voastră se amestecă şi

the ritual of going to the movies
of
the phone calls

of the quarrel and after that we make love and if
you don't
you think that actually
that eventually
you think that,
but eventually you still make
love
and
love will save us

*

it feels good to sit near the radiator

*

it feels good to eat miscellany—especially
pudding
(...)

ritualul cu ieşitul la film
cu
telefoanele

cu cearta şi după aia facem dragoste şi dacă
nu faci
 te gândeşti că de fapt
că până la urmă
te gândeşti că,
dar până la urmă tot faci
dragoste
şi
dragostea ne va salva

*

e bine să stai lângă calorifer

*

e bine să mănânci diverse în
special budincă
(...)

IV.

a pleasant torpor a kind of weariness a long
sleep without dreams a worker's sleep clothes to be washed
a washing-machine for everybody I sleep next to.
up on my feet I push buttons dj in my sleep the dj of the washing
machine

others' slime heals you if
you turn it into detergent

carefully all the spots all the smells

disappear go away go away
acetone smell
ariel smell
and
nothing to regret
and
nothing to remember

*

I'm fresh

(...)
the parks stir under me—some unbalanced saucers
blowing up under my feet like in sci-fi movies
the parks the trees the green benches
the lovers I touch with
my sight—dissolve slowly on the pavement
or their heads explode

*

and nobody talks to me anymore.
this is no triumph anymore, when you're alone and triumphant
you might as well be dead and triumphant

*

I don't like being alone and triumphant
I don't like not being minded—mind
me at your tables, I can laugh I can talk
I can say anything I also have saliva I also know I also can
in the clear light of the sunset—be with my fellow men

IV.

o amorţeală plăcută un fel de oboseală un somn
lung fără vise un somn de muncitor hainele la spălat
o maşină de spălat pentru toată lumea lângă care dorm
 în picioare apăs pe butoane dj în somn dj-ul maşinii
de spălat

jegul altora te vindecă dacă
îl transformi în detergent

cu atenţie toate petele toate mirosurile

dispar se duc se duc
miros de acetonă
miros de pur universal
 şi
nimic de regretat
 şi
nimic de adus aminte

*

sunt fresh

(...)
parcurile se mişcă sub mine nişte farfurii dezechilibrate
explodându-mi sub picioare ca în filmele sf
parcurile pomii băncile verzi
 îndrăgostiţii pe care îi ating cu privirea
se dizolvă încet pe asfaltul moale
sau le explodează capul

*

şi nimeni nu mai vorbeşte cu mine.
nu e nici un triumf ăsta, când eşti singur şi triumfător
poţi la fel de bine să fii mort şi triumfător

*

mie nu îmi place să fiu singură şi triumfătoare
mie nu îmi place să nu fiu băgată în seamă băgaţi-mă
în seamă pe la mesele voastre, pot râde pot vorbi
pot spune orice şi eu am salivă şi eu ştiu şi eu pot
în lumina clară a amurgului să fiu împreună cu semenii mei

DAN SOCIU

Dan Sociu was born in Iasi in 1980.

His books include *Well tied jars, money for one more week* (Junimea, 2002) and *Excessive Songs* (Cartea Românească, 2005).

Currently, he is a student of literature at the University of Iasi.

DAN SOCIU

well tied jars, money for one more week (2002)

vodka or wine

> *"we stand in galleries mournfully unable to look*
> *as modern as that"*
> *(Andrei Codrescu)*

the first time I saw my name printed
it was in ninety-one in the local paper in
the obituary just the second day after my pa's death

I burst with pride and stupor and delight
of course I read the ad about
twenty times I syllabified my name
I put my finger on it my tongue my ear and suddenly
I remembered
the dead man in the house the mirrors covered with
sheets my status as a recent orphan
quickly I pretended to be ashamed

I cursed myself and I threw—faaar away!—the paper

within reach somewhere where I could pick it up later

I hid it under the bed like a porn magazine

at fourteen I wrote a sci-fi short story
and a Bucharest writer threw me a word
just like that tentatively we sat face to face
he was as real and as bearded as possible and yet
I couldn't even imagine him I hadn't seen writers before
I thought them all to be dead—even more

borcane bine legate, bani pentru încă o săptămînă (2002)

vodcă sau vin

> *"we stand in galleries mournfully unable to look*
> *as modern as that"*
> *(Andrei Codrescu)*

prima oară cînd mi-am văzut numele tipărit
a fost în nouăzecişiunu în ziarul local la
decese chiar a doua zi după moartea tatei

plesneam de mîndrie şi stupoare şi încîntare
bineînţeles că am citit anunţul de vreo
douăzeci de ori îmi silabiseam numele
puneam degetul limba urechea şi brusc
îmi aminteam
de mortul din casă de oglinzile acoperite cu
cearşafuri de statutul meu de proaspăt orfan
repede mă prefăceam că mi-e ruşine

mă blestemam şi azvîrleam oho ziarul cît colo

la îndemînă undeva de unde să-l pot culege mai tîrziu

îl ascundeam sub pat ca pe o revistă porno

la paisprezece ani am scris o povestioară sefe
şi un scriitor bucureştean mi-a aruncat o vorbă
aşa într-o doară stăteam amîndoi faţă-n faţă
era cît se poate de real şi de bărbos şi totuşi nici
nu mi-l puteam imagina nu mai văzusem scriitori
îi credeam pe toţi morţi mai mult chiar

you're talented he said you've got vein
the skin shrank on my back I waited for a
punishment something I said to myself oh boy! he knows I masturbate

he knows I smoke
I bought myself a notebook I wrote on the cover
in bold letters dan sociu poems publishing house
so and so, on the first page dan sociu poems the preface
cover but then I was overwhelmed by a kind of
anxiety but what do I give them at the launch: vodka or wine
as I knew it was done

and at night when I got hungry I stood in my underwear
in the kitchen eating borsch with onion—whoops
the anxiety, what if the readers entered the door now
and saw you

so I haven't written much until now
because I know how poetry is
and how it looks at you when you walk around the house in your underwear

as big as china

and us, climbed on the wet stone benches
with old newspapers crammed under our arses
one of us said you know what I'd make myself
a necklace from cigarette butts

this happened in '95
because after emptying the second bottle
we put it standing over the other one
and the bottle stood

then came a girl with a violin
she knew one single tune
which she sang twice

boredom big as china somebody said
we gloss them and hang them around the neck somebody else said

eşti talentat mi-a spus ai vînă
mi se strîngea pielea pe spate aşteptam o
pedeapsă ceva îmi ziceam aoleu ştie că mă masturbez

ştie că fumez
mi-am cumpărat un caiet am scris pe copertă
cu litere îngroşate dan sociu poezii editura
cutare pe prima pagină dan sociu poezii coperta
de prefaţă dar pe urmă m-a cuprins un fel de
anxietate dar ce le dau la lansare vodcă sau vin
cum ştiam eu că se face

şi noaptea cînd mă apuca foamea stăteam în chiloţi
în bucătărie şi mîncam borş cu ceapă hop
anxietatea dacă ar intra acum cititorii pe uşă
şi te-ar vedea

aşa că n-am scris pînă acum mai nimic
pentru că ştiu eu cum e cu poezia
şi cum se uită la tine cînd te plimbi prin casă-n chiloţi

cît china

şi noi căţăraţi pe băncile ude de piatră
cu ziare vechi îndesate sub fund
unul a zis băi eu mi-aş face
un colier din chiştoace

asta era prin '95
pentru că după ce am golit a doua sticlă
am aşezat-o în picioare peste cealaltă
şi sticla a stat

pe urmă a venit o fată cu o vioară
ea ştia o singură melodie
pe care ne-a cîntat-o de două ori

plictiseală cît china a zis cineva
le dăm cu lac şi le agăţăm la gît a zis altcineva

mon rêve familier

next day in the school newspaper
everything was described in detail
on two columns the dry kiss
the unnaturally tall teeth her fingers
striving with the pioneer belt   the monstrous device
that my father swore at, every morning when
he prepared me for school
            and beside—the sheet with the yellowish stain in the middle
above
in black letters
built from strips of electrical tape

brother louse

every evening I return to the residence miserable
because it's not even eleven
and I'd have stayed some more
I'd have drunk some more
with my friend eugen who ran after the last trolley

I open the door
praying nobody would be in
they'd all be gone to the disco or anywhere because
I hate them not even that
and it's strange if the room is empty
I seem to almost almost start to love them a bit

from the moment I take off my boots
I feel doomed
something irreversible like a vasectomy
because until morning I don't have the strength
to move
and from outside I hear musics

I lie in bed I think about my friends
about a Christmas without snow
about the party at costel's

mon rêve familier

a doua zi la gazeta de perete a şcolii
totul era povestit cu amănunte
pe două coloane sărutul uscat
dinţii nefiresc de înalţi degetele ei
chinuindu-se cu centura de pionier   dispozitivul
monstruos pe care-l înjura tata în fiecare
dimineaţă cînd mă pregătea pentru şcoală
            iar alături cearşaful cu pata gălbuie în mijloc
deasupra cu litere mari
construite din bucăţi de bandă izolatoare

fratele păduche

în fiecare seară mă întorc în cămin abătut
pentru că nu e nici unşpe
şi eu aş mai fi rămas
eu aş mai fi băut
cu prietenul meu eugen care a alergat după ultimul troleibuz

deschid uşa
rugîndu-mă să nu fie nimeni în cameră
să fie plecaţi la discotecă sau oriunde căci
îi urăsc nici măcar
şi e ciudat dacă e camera goală
parcă parcă încep puţin să-i iubesc

din clipa-n care îmi scot bocancii
mă simt condamnat
ceva ireversibil ca o vasectomie
pentru că pînă dimineaţă nu mai am putere
să mă mişc
şi de-afară se aud muzici

mă întind în pat mă gîndesc la vechii mei prieteni
la un Crăciun fără zăpadă
la cheful de la costel

when everybody slept with whoever they found
and the second day we wake up with lice

I thought only I got them and I felt ashamed
and the others the same
mihaela thought she infected her sister
and I believed to have caught them from daniel
who had come out of prison
paula told mihaela
and laura said—I also was at one
of your parties
and I got infected with lice
marcel shaved his head
I had my hair cut
the girls washed with gas

after a few months
over a beer
we took heart and confessed
thus I found out that daniel wasn't the guilty one
that he only came out of prison with bed-bugs
that the story had started from somewhere

outside ourselves
and actually everything could be explained by the simple
human desire
of a lonely louse
to celebrate Christmas with us

cînd ne-am culcat fiecare cu cine am apucat
şi ne-am trezit a doua zi cu păduchi

credeam că numai eu am şi mi-era ruşine
şi ceilalţi la fel
mihaela credea că a molipsit-o pe soră-sa
şi eu credeam că i-am luat de la daniel
care ieşise din puşcărie
paula i-a spus mihaelei
şi laura a zis am fost şi eu la un
chef de-al vostru
şi m-am umplut de păduchi
marcel s-a ras în cap
eu m-am tuns
fetele s-au dat cu gaz

după cîteva luni
la o bere
ne-am luat inimile-n dinţi şi-am mărturisit
astfel am aflat că nu daniel era vinovatul
că el ieşise din puşcărie doar cu ploşniţe
că povestea pornise de undeva

din afara noastră
şi în fond totul se explica prin dorinţa
simplă
omenească a unui păduche însingurat
de a sărbători Crăciunul cu noi

well closed tins jars money for one more week

1.
a flock of sheep
heads forward through the humble
franciscan rain
over the bridge linking the tudor with the metallurgical plant

eaten by storms embalmed in the scent of the bahlui river
after each rainfall
its rusts moulds
sparkle in the light of the new sun

as a not exactly young body
             wearing its lusts openly

unmilked sheep
        —the sweet materiality of which
he loads himself with, groaning
like with his own weight
rediscovered after seemingly centuries of floating

2.
nothing fits inside me and
regardless of how I strive nothing
really ties me to you
a wretched bridge there on which they could pass
safely—trams buses flocks of sheep
             I live throughout a day
             and since it doesn't break
             I live throughout one more
the same one
and the same, like in
the twilight zone

same morning—raw as a fur
skinned off a living rabbit

same afternoon in which anywhere I sit
I stay put there

conserve bine închise borcane bani pentru încă o săpămînă

1.
o turmă de oi
înaintează prin ploaia smerită
franciscană
peste podul care leagă tudorul de metalurgie

mîncat de viscole îmbălsămat în miasma bahluiului
după fiecare ploaie
petele de rugină îi
strălucesc în lumina noului soare

ca un trup nu tocmai tînăr
                purtîndu-și poftele la vedere

oi nemulse
        de a căror dulce materialitate
se încarcă gemînd
ca de propria-i greutate
regăsită parcă după secole de plutire

2.
nimic nu se leagă în mine și
oricît m-aș strădui nimic
nu mă leagă cu adevărat de voi
un pod amărît acolo pe care să poată trece
în siguranță tramvaie autobuze turme de oi
              trăiesc o zi și pentru că
              nu se rupea
              mai trăiesc una
aceeași
și aceeași ca-n
zona crepusculară

aceeași dimineață crudă ca o blană
jupuită de pe un iepure viu

aceeași dup-amiază în care oriunde m-așez
acolo rămîn

stock-still
and glued
drowned in saliva like a tiny photograph
kissed with hatred

same evening
—that screams, so that it
covers my screams
when the glasses are thirstier than I am
and they break loose from their invisible roots
and they bite
                    do you know that
                    last winter when
                    you slept with me in T10 residence
                    the most painful
                    of my obsessions
                    was that
                    one of the days
                            we had hot water you'd be
                            caught and

                            raped in the showers?

3.
the rain has stopped and the sun rises in the left
upper corner of the city like a rainbow at the end
of the bridge the bus appears with our packages from home
two bags as usual tied together with a cord
from one of my mother's gowns the small card with my
name on it tied with string well tied-up jars well
closed tins money for one more week

încremenit
şi încleiat
înecat în salivă ca o micuţă fotografie
sărutată cu ură

aceeaşi seară
care urlă să-mi
acopere urletele
cînd paharele sunt mai însetate ca mine
şi se rup de rădăcinile lor invizibile
şi muşcă

        tu ştii că
        iarna trecută cînd
        ai dormit cu mine-n tezece
        cea mai chinuitoare
        dintre obsesiile mele
        era aceea că
        într-una din zilele
            cu apă caldă vei fi
            prinsă şi

            violată la duşuri?

3.
ploaia s-a terminat şi soarele se ridică în colţul din
stînga sus al oraşului ca un curcubeu apare la capătul
podului autobuzul cu pachetele noastre de-acasă
două plase ca de obicei legate-ntre ele cu un cordon
de la un halat de-al maică-mii cartonaşul cu numele
meu legat cu sfoară borcane bine legate la gură conserve
bine închise bani pentru încă o săptămînă

ozone friendly

for Radu Andriescu

1.
I've finally overcome my old and ridiculous carsickness
from the backseat I approve in delight
my friends' swearing their technic-esoteric comments

I will never learn to drive a car
(even in my dreams I bump into all the poles) just like
I don't think I'll ever learn how to play any musical instrument but
it's been a while since I stopped calling women miss
and in front of
tired clerks and sour shopping assistants
I remain cool
Now
I keep tough

(radule, the truth is I've lost more friends than a
centenarian
but, you know,
it's the opposite way than in the review mirror
that things appear closer than they are)

2.
why when I'm also ozone
friendly and friendly indeed I mean I would
sign anything just to be
with the guys I'll take the hits
let myself be kicked—bend and let them
jump on my back I'll gladly
keep my hands as their spitting purse

they didn't wake you up at ploiesti nor when you returned
you didn't get to see the fires on top of the refineries
first day they hid your tie and your belt
you got a warning
in front of the school meeting
ashamed, you swallowed your snot and you almost lost your pants

ozone friendly

pentru Radu Andriescu

1.
am scăpat în sfîrşit de mai vechiul şi ridicolul meu rău de maşină
de pe bancheta din spate aprob încîntat
înjurăturile prietenilor mei comentariile lor tehnicezoterice

nu voi învăţa să conduc o maşină
(pînă şi-n vise intru-n toţi stîlpii) cum
la vreun instrument nu cred să învăţ vreodat' a cînta dar
e ceva vreme de cînd am încetat să le mai spun femeilor tanti şi-n
faţa obosiţilor funcţionari şi a acrelor vînzătoare
rămîn cool
acum
mă ţin tare

(radule adevărul e că am pierdut mai mulţi prieteni decît un centenar
dar ştii
invers decît pe oglinzile retrovizoare
lucrurile par mai apropiate decît sunt în realitate)

2.
de ce cînd şi eu sunt ozone
friendly environment
friendly şi chiar friendly la o
adică semnez orice numai să fiu
cu băieţii iau poace la bîza
castane peniciline stau
capră şi mă las cocoşat la lapte
gros bucuros fac cheta la flegmă

nu te-au trezit la ploieşti şi nici la întoarcere
n-ai apucat focurile de pe rafinării
în prima zi ţi-au ascuns cravata şi centura
ai primit mustrare
în faţa careului
îţi înghiţeai ruşinat mucii şi-ţi cădeau pantalonii
ţi-au plantat un şarpe în geamantan

they set you up with a snake in your suitcase
filled your underwear with toothpaste they
painted you with shoe cream and poured
a mug of salt in your soup you pissed
in your pants and they told on you they stole your money
and they left you in the woods but
the last day who saw the bear at
the garbage bins while they were fooling themselves by the camp
fire who hid and watched
for minutes—fascinated and in tremendum

I pass by the rednecks on copou hill like
the guy from the verve—cool
pushing them with my shoulder (the truth
radu is I'd like them to take me
with them for some butt-kicking or
some booze or a gang rape) I pass
by dowdies and officers and
I feel stupidly whitmanian

in autumn evenings when they burn
the piles of leaves on copou things
really seem closer—dogs mating for
millennia gently separate one from another they take their
rollers down the hill by the university
between the tables
at the boema bar over
the foundation to the railway station

ţi-au turnat pastă în chiloţi te-au
pictat cu cremă de ghete ţi-au scăpat
un linguroi de sare în ciorbă te-ai scăpat
pe tine şi te-au pîrît ţi-au furat banii
şi te-au lăsat singur în pădure dar
în ultima zi cine-a văzut ursul la
gunoaie în timp ce ei lălăiau lîngă focul
de tabără cine s-a ascuns şi l-a privit
minute în şir fascinat şi cuprins de tremendum

trec printre tîrtanii de pe copou ca
tipul de la the verve nepăsător
agăţîndu-i cu umărul (adevărul
radule că aş vrea să mă ia
cu ei la o ciomăgeală la o bă
ută la un tun la un viol în grup) trec
pe lîngă ţaţe şi gardieni pubici şi
mă simt stupid whitmanian

în serile de toamnă cînd ard
grămezile de frunze pe copou lucrurile
chiar par mai apropiate cîini înciotaţi de
milenii se desprind uşor unul de altul alunecă
pe role în vale pe lîngă universitate prin
gangul repetenţilor printre mesele
de la boema peste
fundaţie înspre gară

finders keepers

it rains or the plumbing gurgles

lying on the couch she reads from a book how
to measure our intelligence quotient

later she'll measure mine as well

at my upstairs neighbours' some men came
and they talk

from here from where I hear them
I could swear they're speaking Latin

the anticlimax technique

we sit on our bottoms on the stained bed-sheets
we make desperate signs of recognition
       now when you put your sweater on you remind me
       of anna who used to undress in front of teenagers
       because she didn't trust the affective memory
       of mature men
you wake me up at the break of dawn I bet somewhere
round the corner of the building there is a pack of dogs waiting
I don't like your neighbourhood why do you let me go
you who should take the place of my crippled
instinct of self-preservation
       you throw cold coins on the floor all the way to the bathroom
       they stick to my soles
       it smarts
       the nape of your head is a tv just turned off
       it itches me
it's four in the morning it would have suited me
a post-coitus like in l. cohen
       what are thinking of
       you'd have asked
       the anticlimax technique
       I wouldn't have answered
       annoyed

finders keepers

plouă sau gîlgîie instalaţia

întinsă pe canapea ea citeşte din carte cum
să ne calculăm coeficientul de inteligenţă

mai tîrziu mi-l va calcula şi mie

la vecinii de sus au venit nişte bărbaţi
şi discută

de-aici de unde-i aud
aş putea jura că vorbesc în latină

tehnica anti-climaxului

ne ridicăm în fund pe cearşafurile pătate
ne facem semne disperate de recunoaştere
        acum cînd tragi bluza pe tine îmi aminteşti
        de anna care se dezbrăca în faţa adolescenţilor
        pentru că n-avea încredere în memoria sentimentală
        a bărbaţilor maturi
m-ai trezit cu noaptea în cap pariez că undeva
după colţul blocului aşteaptă o haită de cîini
nu-mi place cartierul tău de ce mă laşi să plec
tu care ar trebui să ţii locul beteagului
meu instinct de conservare
        arunci monede reci pe podea pînă la baie
        mi se lipesc de tălpi
        ustură
        ceafa ta e un televizor abia stins
        mă furnică
it's four o'clock in the morning m-ar fi aranjat şi pe mine
un post-coitum ca-n l. cohen
        la ce te gîndeşti
        m-ai fi întrebat
        la tehnica anti-climaxului
        nu ţi-aş fi răspuns eu
        enervat

someday I'll weigh half a kilo

peeling potatoes
an emotion

I feel useful and hungry
in a pleasant way

someday I also weighed half a kilo

I almost wish it never ended
I wish I were continually being passed potatoes

when I had my first abortion

I don't want you to get upset
or to get all this as a reproach
but I'm telling you—when I had my first abortion
your poems didn't help in any way
I wouldn't want you to understand who knows what
to jump to conclusions it's not the case
but at my second abortion
poets are sensitive I know that but at the second one
please don't think badly of me
your poems really didn't help with anything
and I think
well actually I'm certain
and please don't think I don't like what you write
but I'm certain
that if I were to have another one
an abortion I mean
your poems wouldn't help at all

cîndva voi cîntări jumătate de kilogram

curăţatul cartofilor
o emoţie

mă simt util şi flămînd
într-un mod plăcut

cîndva am cîntărit şi eu jumătate de kilogram

aproape c-aş vrea să nu se mai termine
să mi se tot dea la mînă cartofi

cînd am făcut primul avort

nu vreau să te superi
sau să vezi toate astea ca pe-un reproş
dar îţi spun cînd am făcut primul avort
poemele tale nu m-au ajutat cu nimic
n-aş vrea să înţelegi cine ştie ce
să tragi concluzii pripite şi de unde nu-i cazul
dar la al doilea avort
poeţii sunt sensibili asta o ştiu
dar la al doilea
te rog nu gîndi urît despre mine
poemele tale nu m-au ajutat chiar cu nimic
şi cred eu
ba chiar sunt sigură
şi să nu crezi că nu-mi place ceea ce scrii
sunt însă convinsă
că dac-aş mai face unul
un avort adică
poemele tale nu m-ar ajuta cu nimic

Many thanks to the following copyright holders for permission to publish the poems in this anthology:

DUMITRU CRUDU for poems from *the false dimitrie* (Arhipelag, 1994); *it's closed, please don't insist* (Pontica, 1994); *six chants for those who want to rent apartments* (Paralela 45, 1996) © Dumitru Crudu 1994, 1996.

ADELA GRECEANU for poems from *The title of my collection, which preoccupies me so much* (Eminescu, 1997); *Miss Cvasi* (Vinea, 2001); *The straight in the heart understanding* (Paralela 45, 2004) © Adela Greceanu 1997, 2001, 2004.

MARIUS IANUS for poems from *anarchic manifesto and other fractures* (Vinea, 2000); *Toilet paper preceded by the first poems* (Vinea, 2004) © Marius Ianus 2000, 2004.

ELENA VLĂDĂREANU for poems from *fissures* (Pontica, 2003) © Elena Vlădăreanu 2003.

RUXANDRA NOVAC for poems from *ecograffiti. pedagogical poems. flags on towers* (Vinea, 2003) © Ruxandra Novac 2003.

adrian urmanov for poems from *utilitarian poems* (Pontica, 2003); *skeleton* (Pontica, 2004) © adrian urmanov 2003, 2004.

ANDREI PENIUC for poems from *a small animal* (Pontica, 2002); *small manual of terrorism* (Carmen underground series, 2002; 2nd edition Ziua, 2002; 3rd edition Vinea, 2005) © Andrei Peniuc 2002, 2003, 2005.

OVIA HERBERT for poems from *the openings* (Pontica, 2004) © Ovia Herbert 2004.

RĂZVAN ȚUPA for poems from *fetish* (Semne, 2001); *all the objects into which we cram our intentions to grow close* (Carmen underground series, 2002); *romanian bodies* (Cartea Românească, 2005) © Răzvan Țupa 2001, 2002, 2005.

ZVERA ION for poems from *acetone* (Carmen underground series, 2002; 2nd edition Vinea, 2004) © Zvera Ion 2002, 2004.

DAN SOCIU for poems from *well tied jars, money for one more week* (Junimea, 2002) © Dan Sociu 2002.